CONVE
IN S.MPLE
FRENCH

Short Natural Dialogues to Boost Your Confidence & Improve Your Spoken French

by Olly Richards

Edited by Connie Au-Yeung & Eleonora Calviello

101 Conversations in Simple French: Short Natural Dialogues to Boost Your Confidence & Improve Your Spoken French

FREE STORYLEARNING®
KIT

Discover how to learn foreign languages faster & more effectively through the power of story.

Your free video masterclasses, action guides & handy printouts include:

- A simple six-step process to maximise learning from reading in a foreign language

- How to double your memory for new vocabulary from stories

- Planning worksheet (printable) to learn faster by reading more consistently

- Listening skills masterclass: "How to effortlessly understand audio from stories"

- How to find willing native speakers to practise your language with

To claim your FREE StoryLearning® Kit, visit:

www.storylearning.com/kit

WE DESIGN OUR BOOKS TO BE INSTAGRAMMABLE!

Post a photo of your new book to Instagram

using #storylearning and you'll get an entry

into our monthly book giveaways!

Tag us **@storylearningpress** to make sure we see you!

BOOKS BY OLLY RICHARDS

Olly Richards writes books to help you learn languages through the power of story. Here is a list of all currently available titles:

Short Stories in Danish For Beginners

Short Stories in Dutch For Beginners

Short Stories in English For Beginners

Short Stories in French For Beginners

Short Stories in German For Beginners

Short Stories in Icelandic For Beginners

Short Stories in Italian For Beginners

Short Stories in Norwegian For Beginners

Short Stories in Brazilian Portuguese For Beginners

Short Stories in Russian For Beginners

Short Stories in Spanish For Beginners

Short Stories in Swedish For Beginners

Short Stories in Turkish For Beginners

Short Stories in Arabic for Intermediate Learners

Short Stories in English for Intermediate Learners

Short Stories in Italian for Intermediate Learners

Short Stories in Korean for Intermediate Learners
Short Stories in Spanish for Intermediate Learners

101 Conversations in Simple English
101 Conversations in Simple French
101 Conversations in Simple German
101 Conversations in Simple Italian
101 Conversations in Simple Spanish
101 Conversations in Simple Russian

101 Conversations in Intermediate English
101 Conversations in Intermediate French
101 Conversations in Intermediate German
101 Conversations in Intermediate Italian
101 Conversations in Intermediate Spanish

101 Conversations in Mexican Spanish
101 Conversations in Social Media Spanish
World War II in Simple Spanish

All titles are also available as audiobooks. Just search your favourite store!

For more information visit Olly's author page at:
www.storylearning.com/books

ABOUT THE AUTHOR

 Olly Richards is a foreign language expert and teacher. He speaks eight languages and has authored over 30 books. He has appeared in international press, from the BBC and the Independent to El País and Gulf News. He has featured in language documentaries and authored language courses for the Open University.

Olly started learning his first foreign language at the age of 19, when he bought a one-way ticket to Paris. With no exposure to languages growing up, and no natural talent for languages, Olly had to figure out how to learn French from scratch. Twenty years later, Olly has studied languages from around the world and is considered an expert in the field.

Through his books and website, StoryLearning.com, Olly is known for teaching languages through the power of story – including the book you are holding in your hands right now!

You can find out more about Olly, including a library of free training, at his website:

www.storylearning.com

CONTENTS

INTRODUCTION

If you've ever tried speaking French with a stranger, chances are it wasn't easy! You might have felt tongue-tied when you tried to recall words or verb conjugations. You might have struggled to keep up with the conversation, with French words flying at you at 100mph. Indeed, many students report feeling so overwhelmed with the experience of speaking French in the real world that they struggle to maintain motivation. The problem lies with the way French is usually taught. Textbooks and language classes break French down into rules and other "nuggets" of information in order to make it easier to learn. But that can leave you with a bit of a shock when you come to actually speak French out in the real world: "People don't speak like they do in my textbooks!" That's why I wrote this book.

101 Conversations in Simple French prepares you to speak French in the real world. Unlike the contrived and unnatural dialogues in your textbook, the 101 authentic conversations in this book offer you simple but authentic spoken French that you can study away from the pressure of face-to-face conversation. The conversations in this book tell the story of six people in Paris. You'll experience the story by following the conversations the characters have with one another. Written entirely in spoken French, the conversations give you the authentic experience of reading real French in a format that is convenient and accessible for a beginner (A2 on the Common European Framework of Reference).

The extensive, story-based format of the book helps you get used to spoken French in a natural way, with the words and phrases you see gradually emerging in your own spoken French as you learn them naturally through your reading. The book is packed with engaging learning material including short dialogues that you can finish in one sitting, helpful English definitions of difficult words, scene-setting introductions to each chapter to help you follow along, and a story that will have you gripped until the end. These learning features allow you to learn and absorb new words and phrases, and then activate them so that, over time, you can remember and use them in your own spoken French. You'll never find another way to get so much practice with real, spoken French!

Suitable for beginners and intermediate learners alike, *101 Conversations in Simple French* is the perfect complement to any French course and will give you the ultimate head start for using French confidently in the real world! Whether you're new to French and looking for an entertaining challenge, or you have been learning for a while and want to take your speaking to the next level, this book is the biggest step forward you will take in your French this year.

If you're ready, let's get started!

HOW TO USE THIS BOOK

There are many possible ways to use a resource such as this, which is written entirely in French. In this section, I would like to offer my suggestions for using this book effectively, based on my experience with thousands of students and their struggles.

There are two main ways to work with content in a foreign language:

1. Intensively

2. Extensively

Intensive learning is when you examine the material in great detail, seeking to understand all the content - the meaning of vocabulary, the use of grammar, the pronunciation of difficult words, etc. You will typically spend much longer with each section and, therefore, cover less material overall. Traditional classroom learning, generally involves intensive learning. *Extensive* learning is the opposite of intensive. To learn extensively is to treat the material for what it is – not as the object of language study, but rather as content to be enjoyed and appreciated. To read a book for pleasure is an example of extensive reading. As such, the aim is not to stop and study the language that you find, but rather to read (and complete) the book.

There are pros and cons to both modes of study and, indeed, you may use a combination of both in your approach.

However, the "default mode" for most people is to study *intensively*. This is because there is the inevitable temptation to investigate anything you do not understand in the pursuit of progress and hope to eliminate all mistakes. Traditional language education trains us to do this. Similarly, it is not obvious to many readers how extensive study can be effective. The uncertainty and ambiguity can be uncomfortable: "There's so much I don't understand!"

In my experience, people have a tendency to drastically overestimate what they can learn from intensive study, and drastically underestimate what they can gain from extensive study. My observations are as follows:

- **Intensive learning**: Although it is intuitive to try to "learn" something you don't understand, such as a new word, there is no guarantee you will actually manage to "learn" it! Indeed, you will be familiar with the feeling of trying to learn a new word, only to forget it shortly afterwards! Studying intensively is also time-consuming meaning you can't cover as much material.

- **Extensive learning**: By contrast, when you study extensively, you cover huge amounts of material and give yourself exposure to much more content in the language than you otherwise would. In my view, this is the primary benefit of extensive learning. Given the immense size of the task of learning a foreign language, extensive learning is the only way to give yourself the exposure to the language that you need in order to stand a chance of acquiring it. You simply can't learn everything you need in the classroom!

When put like this, extensive learning may sound quite compelling! However, there is an obvious objection: "But how do I *learn* when I'm not looking up or memorising things?" This is an understandable doubt if you are used to a traditional approach to language study. However, the truth is that you can learn an extraordinary amount *passively* as you read and listen to the language, but only if you give yourself the opportunity to do so! Remember, you learned your mother tongue passively. There is no reason you shouldn't do the same with a second language!

Here are some of the characteristics of studying languages extensively:

Aim for completion When you read material in a foreign language, your first job is to make your way through from beginning to end. Read to the end of the chapter or listen to the entire audio without worrying about things you don't understand. Set your sights on the finish line and don't get distracted. This is a vital behaviour to foster because it trains you to enjoy the material before you start to get lost in the details. This is how you read or listen to things in your native language, so it's the perfect thing to aim for!

Read for gist The most effective way to make headway through a piece of content in another language is to ask yourself: "Can I follow the gist of what's going on?" You don't need to understand every word, just the main ideas. If you can, that's enough! You're set! You can understand and enjoy a great amount with gist alone, so carry on through the material and enjoy the feeling of making progress! If the material is so hard that you struggle to understand even the gist, then my advice for you would be to consider easier material.

Don't look up words As tempting as it is to look up new words, doing so robs you of time that you could spend reading the material. In the extreme, you can spend so long looking up words that you never finish what you're reading. If you come across a word you don't understand... Don't worry! Keep calm and carry on. Focus on the goal of reaching the end of the chapter. You'll probably see that difficult word again soon, and you might guess the meaning in the meantime!

Don't analyse grammar Similarly to new words, if you stop to study verb tenses or verb conjugations as you go, you'll never make any headway with the material. Try to *notice* the grammar that's being used (make a mental note) and carry on. Have you spotted some unfamiliar grammar? No problem. It can wait. Unfamiliar grammar rarely prevents you from understanding the gist of a passage but can completely derail your reading if you insist on looking up and studying every grammar point you encounter. After a while, you'll be surprised by how this "difficult" grammar starts to become "normal"!

You don't understand? Don't worry! The feeling you often have when you are engaged in extensive learning is: "I don't understand". You may find an entire paragraph that you don't understand or that you find confusing. So, what's the best response? Spend the next hour trying to decode that difficult paragraph? Or continue reading regardless? (Hint: It's the latter!) When you read in your mother tongue, you will often skip entire paragraphs you find boring, so there's no need to feel guilty about doing the same when reading French. Skipping difficult passages of text may feel like cheating, but it can, in fact, be a mature approach to reading that allows you to make progress through the material and, ultimately, learn more.

If you follow this mindset when you read French, you will be training yourself to be a strong, independent French learner who doesn't have to rely on a teacher or rule book to make progress and enjoy learning. As you will have noticed, this approach draws on the fact that your brain can learn many things naturally, without conscious study. This is something that we appear to have forgotten with the formalisation of the education system. But, speak to any accomplished language learner and they will confirm that their proficiency in languages comes not from their ability to memorise grammar rules, but from the time they spend reading, listening to, and speaking the language, enjoying the process, and integrating it into their lives.

So, I encourage you to embrace extensive learning, and trust in your natural abilities to learn languages, starting with… The contents of this book!

CHARACTER PROFILES

Sophie

Sophie is a very observant and curious young woman. She studied History of Art at Oxford University in England. Her parents are French but she has lived in England all of her life. She loves to read, visit museums and draw.

Alice

Alice is a 28-year-old writer who writes mystery novels for an important French publishing company. She lives in England, with Sophie, but she loves to travel in France, her native country. Unlike Sophie, she does not like history and does not know much about art. She prefers reading mystery novels, watching horror movies and loves the outdoors.

Alphonse Pinguet

Alphonse Pinguet is a wealthy middle-aged man. He is the father of a young girl, named Mariana. Alphonse has always been an avid art collector and his most prised collection contains a number of important 19th century French art works, including a number of paintings by the legendary French artist, Claude Monet.

Mariana Pinguet

Mariana is the daughter of Alphonse and she has inherited his love for collections. Mariana's greatest passion is her collection of rare comics, which she passes her days reading in her bedroom.

Pierre Lefèvre

Pierre Lefèvre is an antiques dealer who has a shop in one of Paris's oldest antiques markets. Pierre is known for not being picky about the objects he receives. He will accept stolen objects and is just as ready to swindle the sellers he obtains objects from as he is to prey on innocent buyers. However, Pierre doesn't know very much about art, so he would not be capable of recognising a truly valuable work, even if it was right under his nose....

L'homme au chapeau

This mysterious character has been seen visiting Paris's antiques market and museums a lot lately. Nobody knows much about him, except that he seems to have a passion for art and history and he always keeps the brim of his hat down so it is hard to catch a clear glimpse of his face.

INTRODUCTION TO THE STORY

Sophie, a young art historian, travels to France with her friend, Alice.

One day, while wandering through an antiques market in Paris, the friends see a collection of beautiful paintings which immediately draw Sophie's attention. Before long, Sophie recognises one of the paintings as an original work by the legendary French painter, Claude Monet. But why would one of Monet's paintings be on sale in an old antiques market?

Sophie and Alice decide to speak with the owner of the market stall to find out. The stall owner, Pierre Lefèvre, tells them that a few days ago, a strange man sold him the paintings. He explains however, that he did not realise they were original works and that he did not pay very much for them. Sophie begins to worry, realising that the artworks must be stolen....

Pierre promises the girls that he will contact a friend who is an expert in French art and ask him to examine the paintings and verify their authenticity. He tells them that if the paintings turn out to be stolen, he will call the police the next day to report the crime. Sophie and Alice decide to take Pierre at his word and leave the market, promising to return the next day to find out what happens. But as they leave, neither of them can shake the feeling that something is not right about the whole situation....

1. SOPHIE ET ALICE

Sophie et Alice sont en vacances à Paris. Elles se sont connues à la fac, il y a plusieurs années. Sophie est historienne de l'art et Alice est auteure de livres de mystère. Elles se trouvent à l'hôtel le premier jour de leur voyage. C'est une journée très ensoleillée et chaude.

Alice: Bonjour, Sophie ! Tu as bien dormi ?

Sophie: Très bien ! Et toi ?

Alice: Très bien aussi. Que veux-tu faire aujourd'hui ?

Sophie: Mmm.... J'ai envie d'aller au marché !

Alice: Génial ! Un marché alimentaire ?

Sophie: Non, je veux aller au marché aux antiquités.

Alice: Ça a l'air bien. Tu en connais un ?

Sophie: Non, je vais regarder sur mon portable.... En voilà un ! Ça s'appelle le marché aux grenouilles.

Alice: Quel drôle de nom !

Sophie: Oui, c'est vrai.

Alice: Il ouvre le samedi ?

Sophie: Oui, il est ouvert tous les samedis à partir de 10h30. Maintenant il est 11h00.

Alice: Parfait ! Où est-il ?

Sophie: Dans le quartier du Marais… C'est très loin. On peut y aller en taxi.

Alice: C'est bon, allons-y !

Vocabulaire

un marché alimentaire a food market
une antiquité an antiquity
une grenouille a frog
drôle bizarre, funny
vrai true
le marais a swamp
allons-y ! let's go!

2. LE VOYAGE AU MARCHÉ

Sophie et Alice quittent l'hôtel et cherchent un taxi pour aller au marché aux grenouilles.

Sophie: Je ne vois pas de taxi. Et toi ?

Alice: En voilà un qui arrive ! Lève la main.

Sophie: Bonjour, monsieur.

Chauffeur de taxi: Bonjour, les filles. Où allez-vous ?

Alice: On va au marché aux grenouilles.

Chauffeur de taxi: C'est dans le quartier du Marais, n'est-ce pas ?

Sophie et Alice: Oui !

Chauffeur de taxi: Très bien. C'est parti. Vous allez acheter des antiquités ?

Sophie: Peut-être. Je suis historienne de l'art. J'aime beaucoup les antiquités.

Chauffeur de taxi: Comme c'est intéressant ! Paris est une ville pleine d'art, vous êtes aussi historienne de l'art ?

Alice: Non, je suis écrivain.

Chauffeur de taxi: Très bien ! Qu'est-ce que vous écrivez ?

Alice: J'écris des livres de mystère.

Chauffeur de taxi: Comme c'est intéressant ! Au marché aux grenouilles, il y a aussi des mystères....

Alice: Vraiment ?

Chauffeur de taxi: Bien sûr ! Au marché aux grenouilles, il y a beaucoup d'objets volés....

Vocabulaire

un voyage a trip
quitter (elles quittent) to leave (they leave)
chercher (elles cherchent) to look for (they're looking for)
lever (lève : impératif) to raise
c'est parti ! here we go!
peut-être maybe
un historien / une historienne an historian
plein / pleine full of
voler (volé) to steal (stolen)

3. LE MARCHÉ AUX GRENOUILLES

Sophie et Alice arrivent au magnifique marché aux grenouilles.

Alice: Wahou ! Regarde toutes ces choses, Sophie.

Sophie: C'est génial ! Je vois beaucoup de magasins. Il y a aussi beaucoup de monde.

Alice: Regarde cette montre ! Elle est vieille ?

Sophie: Oui, elle a l'air très vieille.

Alice: Et ce tableau ? Il est original ?

Sophie: Oui, il a l'air original.

Alice: Tu penses qu'elle est chère ?

Sophie: Je ne pense pas. Demandons... Bonjour, monsieur. Combien coûte ce tableau ?

Vendeur: Bonjour. C'est 50 euros. Tu peux l'acheter ?

Alice: Non merci. On ne fait que demander.

Sophie: Et la montre, combien elle coûte ?

Vendeur: La montre vaut 130 euros. C'est une très vieille montre.

Sophie: Merci !

Alice: Tu crois qu'elle a été volée ?

Sophie: Je ne sais pas ! Elle pourrait l'être ! Il n'y a aucun moyen de le savoir.

Alice: Regarde cette petite boutique. Ça a l'air intéressant. Tu veux y entrer ?

Sophie: Bien sûr, allons-y.

Vocabulaire

magnifique wonderful
wahou ! wow!
c'est génial ! that's great!
un magasin a shop
il y a du monde there is a lot of people
une montre a watch
vieux / vieille old
un tableau a painting
valoir (elle vaut) to be worth (it's worth)
elle a été volée it has been stolen
pouvoir (elle pourrait) can (it could)
aucun no, none
un moyen a way
une boutique a shop

4. LA BOUTIQUE DE M. PIERRE LEFÈVRE

Sophie et Alice entrent dans un petit magasin d'antiquités au marché aux grenouilles.

Pierre Lefèvre: Bonjour, les filles !

Sophie et Alice: Bonjour !

Pierre Lefèvre: Je m'appelle Pierre Lefèvre et voici mon magasin. Vous pouvez tout me demander.

Sophie: Enchantée de vous rencontrer. Jetons un coup d'oeil.

Pierre Lefèvre: Excellent !

Alice: Regarde toutes ces belles choses. Il a beaucoup d'œuvres d'art. Ça te plaît ?

Sophie: Oui, il y a de très belles choses. Il y a beaucoup de peintures, de sculptures, de dessins, livres... il y a même des bandes dessinées !

Alice: Tu penses qu'il y en a qui ont été volées ?

Sophie: Hahahahaha, je ne sais pas. Pourquoi ?

Alice: J'aime les mystères !

Sophie: Il n'y a pas de mystères ici, Alice, il n'y a que de l'art.... Attends ! Regarde ça ! C'est impossible !

demander to ask
jeter un coup d'oeil (jetons un coup d'oeil) to have a look (let's have a look)
une œuvre d'art a piece of artwork
plaire (ça te plaît ?) to like, to please (do you like it?)
une peinture a painting
un dessin a drawing
une bande dessinée a comic book
que only

5. QUELQUES DESSINS TRÈS SPÉCIAUX

Dans une boutique du marché aux grenouilles, Sophie voit des dessins qui attirent son attention.

Sophie: Je connais ces dessins ! C'est de Monet.

Alice: Qui est Monet ?

Sophie: Monet était un peintre français du 19ème siècle, le plus important de l'histoire de France !

Alice: Tu es sûre que ces dessins sont ceux de Monet ?

Sophie: Oui, j'en suis sûre. Je les ai étudiés à l'université.

Alice: Tu penses qu'ils sont originaux ?

Sophie: Oui, j'en suis presque sûre. Ils ont l'air originaux.... Mais c'est impossible ! Qu'est-ce qu'ils font ici ? Ils ne coûtent que 100 euros !

Alice: Ils devraient être dans un musée ?

Sophie: Oui, ils doivent être dans un musée, une galerie ou une collection.

Alice: Qu'est-ce qu'on fait ?

Sophie: Je ne sais pas. On demande au propriétaire du magasin ?

Alice: Oui, c'est la meilleure chose à faire.

Vocabulaire

un peintre a painter
un siècle a century
presque almost
devoir (ils devraient) duty (they should)
le propriétaire an owner

6. COMMENT ÊTES-VOUS ARRIVÉ ICI ?

Sophie et Alice montrent à Pierre Lefèvre les dessins qu'ils ont trouvés dans leur boutique et Sophie explique qu'elle croit que les dessins sont des originaux de Monet.

Pierre Lefèvre: Vous dites que ces dessins ont été faits par Monet ?!

Sophie: Oui, j'en suis presque sûre. Je suis historienne de l'art. Je connais les travaux de Monet. Je connais ses peintures et ses dessins. Ces dessins sont de Monet.

Pierre Lefèvre: Je n'arrive pas à le croire !

Alice: Qu'est-ce qu'ils font ici ? Comment sont-ils arrivés ici ?

Pierre Lefèvre: Je ne sais pas. Beaucoup de gens m'apportent des œuvres d'art. Je les achète et je les vends aux visiteurs.

Alice: Vous vous souvenez de qui a apporté ces dessins ?

Pierre Lefèvre: Oui, je crois que c'était un homme…. Je ne me souviens pas bien de son visage.

Alice: Quand ces dessins sont-ils arrivés au magasin ?

Pierre Lefèvre: Ce matin, il y a un moment.

Sophie: Pensez-vous que les dessins sont volés ?

Pierre Lefèvre: Probablement !

Vocabulaire

montrer (ils montrent) to show (they show)
trouver (ils ont trouvé) to find (they have found)
croire (elle croit) to believe (she believes)
apporter (ils m'apportent) bring (they bring)
se souvenir (vous vous souvenez) to remember (remember)
un visage a face

7. L'APPEL

Pierre Lefèvre dit à Sophie et Alice qu'il a une solution possible au problème des dessins de Monet.

Alice: Qu'est-ce qu'on fait ?

Pierre Lefèvre: J'ai une idée ! J'ai un ami qui est aussi historien de l'art. C'est un expert en art français. Il s'appelle Claude Demarret. Sans aucun doute, il peut dire si ce sont vraiment les œuvres de Monet. Si elles sont de Monet, on appelle la police.

Sophie: Je pense que c'est une très bonne idée.

Alice: C'est une excellente idée.

Pierre Lefèvre: Je vais passer l'appel tout de suite.... Bonjour ! Bonjour, Claude. J'ai besoin d'un service. Tu peux venir à mon magasin ? Il y a des œuvres qui semblent être des originaux de Monet. Oui, de Monet ! D'accord, je t'attends. Au revoir !

Alice: Est-ce que votre ami va venir ?

Pierre Lefèvre: Il dit qu'il n'est pas en ville. Mais il va venir demain. Vous voulez venir aussi ?

Sophie: Oui, ça me va. Je veux rencontrer votre ami, l'expert, et je veux regarder les œuvres avec lui.

Pierre Lefèvre: Je vous attendrai demain.

Sophie et Alice: À demain !

Vocabulaire

sans aucun doute without doubt
passer un appel (je vais passer un appel) to make a call (I will make a call)
avoir besoin de (j'ai besoin de) to need to (I need to)
attendre (je t'attends) to wait (I'm waiting for you)
sembler (elles semblent) to seem (they seem)
ne pas être en ville to be in town

8. UN HOMME SUSPECT

Sophie et Alice quittent le magasin pour retourner à l'hôtel. Avant de prendre un taxi, Alice dit à Sophie que quelqu'un a attiré son attention au magasin.

Alice: Il y a un homme étrange dans le magasin.

Sophie: Tu parles de Pierre Lefèvre ?

Alice: Non. Il y a un autre homme, un visiteur.

Sophie: Comment il était ?

Alice: Il était grand et avait un chapeau…. Le voilà ! C'est celui qui sort du magasin maintenant.

Sophie: Tu penses que c'est un suspect ?

Alice: Je ne sais pas. Je trouve ça un peu bizarre….

Sophie: Tu crois que c'est le voleur ?

Alice: Je ne sais pas, mais je suis inquiète.

Sophie: Pourquoi tu es inquiète ?

Alice: Parce que maintenant l'homme au chapeau sait qu'il y a des dessins très précieux dans le magasin.

Vocabulaire

retourner to go back
avant before
prendre to take
attirer (il a attiré) to attract (he has attracted)
un chapeau a hat
le voilà ! there he is!
sortir (il sort) to get out (he is getting out)
un voleur a thief
inquiet / inquiète worried

9. LES NOUVELLES

Le lendemain, de retour à l'hôtel, Alice et Sophie regardent la télévision, où le présentateur annonce une nouvelle de dernière minute.

Présentateur: Un cambriolage dans le centre de Paris ! De précieux dessins de Claude Monet disparaissent d'une collection privée.

Sophie: Oh non, c'est pas possible ! Ce sont les trois dessins du magasin !

Alice: C'est vrai ! Ce sont exactement les mêmes : il y a le dessin du monstre, le dessin du garçon au verre de vin et le dessin des deux filles se tenant la main.

Présentateur: Aucun signe du voleur. On ne sait pas où sont les dessins. Le propriétaire de la collection, Alphonse Pinguet, offre une grande récompense. La police enquête.

Sophie: Qu'est-ce qu'on fait ?

Alice: On appelle la police ?

Sophie: Non, on ferait mieux d'aller au magasin de Pierre Lefèvre. Appelons la police avec lui.

Alice: Oui, je pense que c'est mieux. De cette façon, personne ne pensera qu'il est suspect.

Vocabulaire

le lendemain the following day
de retour à back to
une nouvelle a piece of news
de dernière minute last-minute
un cambriolage a robbery
disparaître (ils disparaissent) disappear (they disappear)
le même the same one
un verre a drink
se tenir la main (se tenant la main) to hold hands (holding hands)
une récompense a reward
enquêter (elle enquête) to investigate (it is investigating)
de cette façon this way

10. LE DEUXIÈME CAMBRIOLAGE

Quand Sophie et Alice arrivent au magasin, elles voient que la police est déjà là. Les vitrines du magasin sont cassées. M. Pierre Lefèvre est très triste.

Sophie: Monsieur Lefèvre.

Pierre Lefèvre: Vous voilà ! Inspecteur, ce sont les filles d'hier.

Alice: Qu'est-ce qui se passe ?

Pierre Lefèvre: Ce sont les témoins : hier, les œuvres étaient là, quelqu'un les a volées dans le magasin !

Sophie: Vraiment ?

Pierre Lefèvre: Elle est historienne de l'art. Elle sait que ce sont des dessins de Monet.

Sophie: Oui, j'en suis sûre, ce sont les dessins de la collection privée d'Alphonse Pinguet ! Ils sont passés à la télé.

Inspecteur Gentil: Bonjour, je suis l'inspecteur Gentil. Enchanté. Est-ce que vous savez qui est le voleur ?

Sophie: Non, je ne sais pas.

Alice: C'est peut-être l'homme au chapeau.

Inspecteur Gentil: L'homme au chapeau ?

Alice: Oui, un homme qui était dans le magasin hier.

Inspecteur Gentil: On va s'en occuper !

Vocabulaire

une vitrine a shop window
casser (elles sont cassées) to break (they are broken)
vous voilà ! there you are!
se passer to happen
un témoin a witness
quelqu'un someone
passer à la télé (ils sont passés à la télé) to be on TV (they were on TV)
s'occuper de (on va s'en occuper) to take care of (we'll take care of it)

11. ALICE ET SOPHIE AU CAFÉ

Sophie et Alice entrent dans un café pour parler des dessins volés.

Serveur: Bonjour, qu'est-ce que je vous sers ?

Sophie: Bonjour. Je prendrai un café au lait.

Alice: Je vais prendre un croissant au chocolat, s'il vous plaît.

Serveur: Parfait ! Je vous les apporte.

Sophie: Alors, qu'est-ce que tu penses de l'affaire ?

Alice: Mmm.... Il y a eu deux vols. Hier, quelqu'un a volé les dessins chez Alphonse Pinguet. Aujourd'hui... ou hier soir, quelqu'un les a volés dans le magasin de Pierre Lefèvre.

Sophie: Tu penses que c'est la même personne ?

Alice: C'est possible ! La personne qui les a volés chez Alphonse Pinguet ne savait pas combien ils valaient. Ils sont très précieux, mais il les a vendus pour peu d'argent. Mais quand il a entendu parler du cambriolage à la télévision, il a découvert le prix réel et les a volés à nouveau.

Sophie: Il y a peut-être aussi un deuxième voleur.

Alice: Bien sûr. Quelqu'un qui nous a peut-être entendues au magasin....

Sophie: Quelqu'un comme cet homme mystérieux au chapeau ?

Vocabulaire

servir (je sers) to serve (I serve)
un lait a milk
alors so
une affaire a case
il y a eu there has been
un vol a robbery
un argent money
entendre parler (il a entendu parler) to hear about (he has heard about)
à nouveau again
deuxième second

12. LA PROCHAINE ÉTAPE

Le serveur apporte à la table de Sophie et d'Alice tout ce qu'elles ont commandé. À la télévision du bar, elles suivent les nouvelles sur le vol dans le manoir de Alphonse Pinguet.

Alice: Merci beaucoup. Est-ce que vous pouvez nous apporter du sucre, s'il vous plaît ?

Serveur: Oui, immédiatement.

Alice: Qu'est-ce qu'on fait maintenant ?

Sophie: Eh bien, rien ! Pourquoi tu veux faire quelque chose ? L'inspecteur Gentil travaille sur l'affaire.

Alice: Mais c'est amusant ! On devrait aller à la maison d'Alphonse Pinguet.

Serveur: Désolé de vous déranger, mais Alphonse Pinguet ne vit pas dans une maison, il vit dans un manoir !

Sophie: C'est un homme riche ?

Serveur: Oui, très riche. Il a une énorme collection d'art.

Alice: Est-ce que vous savez où il habite ?

Serveur: Oui, bien sûr, il habite de l'autre côté de la rue. Vous pouvez voir son manoir d'ici.

Alice: Merci. L'addition, s'il vous plaît !

Vocabulaire

commander (elles ont commandé) to order (they have ordered)
suivre (elles suivent) to follow (they are following)
un sucre a sugar
eh bien well
quelque chose something
on devrait we should
déranger to bother
énorme huge
habiter (il habite) live (he lives)
un côté a side
une addition a bill

13. DANS LE MANOIR D'ALPHONSE PINGUET

Après le petit déjeuner, Alice et Sophie traversent la rue jusqu'au manoir de Alphonse Pinguet pour enquêter sur le vol des dessins de Monet. Ils sonnent la cloche et l'homme sort à leur rencontre.

Alphonse Pinguet: Vous êtes journalistes ?

Sophie: Non, on n'est pas des journalistes. On a vu vos dessins, monsieur, dans le magasin du marché aux grenouilles.

Alphonse Pinguet: Ah, c'est vous qui avez reconnu les dessins ?

Sophie et Alice: Oui, c'est nous !

Alphonse Pinguet: Et comment est-ce possible ?

Sophie: Je suis historienne de l'art. J'aime beaucoup Monet. Quand j'ai vu les dessins dans la boutique de M. Pierre Lefèvre, j'ai immédiatement reconnu le travail de Monet ! Nous avons beaucoup étudié Monet à l'université ; je peux reconnaître son travail sans aucun problème.

Alphonse Pinguet: Vous êtes aussi historienne d'art ?

Alice: Non, je suis écrivain.

Alphonse Pinguet: Qu'est-ce que vous écrivez ?

Alice: J'écris des histoires de mystères, de vols, de crimes. J'aime résoudre les mystères.

Alphonse Pinguet: Très bien ! Entrez. Vous voulez boire quelque chose ?

Vocabulaire

après after
traverser (elles traversent) to cross (they cross)
jusqu'à until
sonner to ring
une cloche a bell
sortir à leur rencontre to go out to meet them
reconnaître (vous avez reconnu) to recognise (you have recognised)
un travail a job
résoudre to solve

14. LA RÉCOMPENSE

Alice pose des questions à M. Pinguet sur le vol des dessins de Monet. Ils sont assis dans le salon de la maison.

Alice: Quand a eu lieu le cambriolage ?

Alphonse Pinguet: Hier, samedi. Je le sais parce que j'ai vu les dessins vendredi soir. Hier après-midi, ils étaient partis.

Alice: Et vous avez appelé la police ?

Alphonse Pinguet: Oui, bien sûr, immédiatement.

Alice: Vous avez aussi appelé la télé ?

Alphonse Pinguet: Oui, je pense que c'est mieux que tout le monde le sache. Comme ça, je peux offrir une récompense.

Sophie: Vous allez offrir une récompense à toute personne qui trouvera vos dessins ?

Alphonse Pinguet: Oui, bien sûr, j'offre mille euros de récompense ! C'est passé à la télé aujourd'hui.

Alice: On ne fait pas ça pour l'argent, M. Pinguet. On veut juste vous aider.

Sophie: C'est vrai, monsieur. On ne veut pas d'argent. Tout ce qui nous intéresse, c'est l'art.

Alice: Et les mystères !

Sophie: Et les mystères, bien sûr !

Vocabulaire

être assis to be sitting
un salon a living room
une télé a TV set
qu'il le sache that he knows it
passer à la télé to be on TV

15. LA CLÉ

Alphonse raconte tout à Alice et à Sophie sur le vol afin qu'elles puissent l'aider à retrouver ses dessins volés.

Alice: Où est-ce que vous gardez votre collection d'art ?

Alphonse Pinguet: Au deuxième étage, dans une grande pièce, on peut monter !

Alice: Est-ce que cette pièce a une clé ?

Alphonse Pinguet: Oui, bien sûr.

Alice: Qui a la clé de cette pièce ?

Alphonse Pinguet: J'ai la clé. Personne d'autre.

Alice: Où est-ce que vous gardez la clé ?

Alphonse Pinguet: Ici, avec cette chaîne en or que je porte toujours autour du cou.

Sophie: Wahou ! C'est une pièce étonnante. Il y a tellement de tableaux !

Alice: Vous aimez beaucoup l'art, M. Pinguet ?

Alphonse Pinguet: Oui, plus que tout au monde. L'art, c'est ma vie. J'adore ma collection, et je suis très triste, parce que maintenant elle est incomplète.

Vocabulaire

afin que so that
afin qu'elles puissent so that they can
retrouver to retrieve
garder to keep
un étage a floor
une pièce a room
monter to go up
une clé a key
une chaîne a chain
un or gold
porter to wear
un cou a neck
étonnant / étonnante surprising
tellement so many
plus que tout au monde more than anything in the world
une vie a life

16. L'ENQUÊTE

Alice pose d'autres questions à Alphonse Pinguet pendant qu'ils regardent la collection d'art.

Alice: Vous pensez que quelqu'un a cassé la porte ?

Alphonse Pinguet: Non, la police dit que personne n'a forcé la porte.

Alice: Donc quelqu'un a pris la clé.

Alphonse Pinguet: Ça se peut…. C'est difficile, mais c'est possible.

Alice: Qui vit dans la maison ?

Alphonse Pinguet: Ma fille Mariana, les employés et moi-même.

Alice: Combien de personnes travaillent dans la maison ?

Alphonse Pinguet: Six personnes : un employé de maison, une gardienne de sécurité, un jardinier, deux cuisiniers et la nounou de ma fille, vous pensez que le voleur est quelqu'un de la maison ?

Alice: Je ne sais pas. C'est possible. C'est quelqu'un qui ne connaît pas la valeur des dessins. Ils étaient à vendre à un prix très bon marché sur le marché aux grenouilles. 100 euros seulement ! Mais ils doivent valoir des centaines de milliers d'euros !

Alphonse Pinguet: J'espère que le voleur n'est pas quelqu'un de la maison !

Vocabulaire

poser une question (elle pose une question) to ask a question (she is asking a question)
casser (il a cassé) to break (he has broken)
forcer (il a forcé) to force (he has forced)
prendre (il a pris) to take (he has taken)
ça se peut It may be possible
moi-même myself
un employé de maison a housekeeper
un jardinier / une jardinière a gardener
un cuisinier / une cuisinière a cook
une nounou a nanny
vendre to sell
une centaine (des centaines) a hundred (hundreds)
un millier (des milliers) a thousand (thousands)

17. L'INTERRUPTION

Pendant qu'Alice pose des questions à Alphonse Pinguet, quelqu'un d'autre entre dans la salle. C'est une fille de 12 ans, très grande, blonde et aux yeux noirs.

Alphonse Pinguet: Mariana ! Viens, je te présente deux charmantes jeunes filles. Voici Sophie, historienne de l'art. Elle aime beaucoup l'art, tout comme nous.

Mariana Pinguet: Bonjour, Sophie.

Sophie: Bonjour, Mariana, enchantée.

Alphonse Pinguet: Et voici Alice. Elle est écrivain et connaît bien les vols et les mystères.

Alice: Enchantée de te rencontrer.

Mariana Pinguet: Enchantée ! Est-ce que vous êtes là à cause des dessins ?

Alphonse Pinguet: Oui, elles ont vu les dessins au marché aux grenouilles hier, et maintenant elles nous aident à les trouver... et à attraper le voleur !

Mariana Pinguet: Vous savez qui a volé les dessins ?!

Alice: Non, pas encore, mais je suis sûre qu'on va le découvrir.

Mariana Pinguet: Avez-vous des pistes ?

Alice: Certaines. Attends un peu, comment est-ce que entrée ? Tu as aussi la clé de cette pièce ?

Alphonse Pinguet: Oui, j'ai oublié de le dire. Mariana est la seule à avoir une copie de la clé.

Vocabulaire

quelqu'un d'autre someone else
une salle a room
un oeil / les yeux one eye / eyes
noir black
à cause de because of
voir (elles ont vu) to see (they have seen)
attraper to catch
pas encore not yet
découvrir to discover
une piste a lead
certain some some
oublier (j'ai oublié) to forget (I have forgotten)
le seul / la seule the only one

18. ALPHONSE ET MARIANA

Alice et Sophie discutent avec Alphonse et Mariana de la disparition des dessins.

Alice: Quelqu'un t'a demandé la clé, Mariana ?

Mariana Pinguet: Non.... Je l'ai toujours avec moi.

Alphonse Pinguet: Mariana est très prudente. Elle sait à quel point l'art est important, n'est-ce pas ? Elle a aussi sa propre collection.

Mariana Pinguet: Oui, j'ai une collection de bandes dessinées.

Alice: De bandes dessinées ?

Mariana Pinguet: Oui, des bandes dessinées... des comics ! J'ai des bandes dessinées du monde entier : des États-Unis, du Japon, de France, d'Argentine. J'ai des BD anciennes et nouvelles.

Sophie: C'est intéressant ! J'adore les BD. Je peux voir ta collection ?

Mariana Pinguet: Oui, bien sûr. Viens avec moi. Je vais te montrer.

Vocabulaire

une disparition disappearance
prudent / prudente cautious
à quel point to what extent
propre own
entier / entière whole
une BD a comic book

19. LA DEUXIÈME COLLECTION

Mariana Pinguet montre sa collection de bandes dessinées à Sophie. Elle a une grande salle pleine d'immenses étagères à livres, pleines de bandes dessinées.

Sophie: C'est une collection incroyable !

Mariana Pinguet: Oui, c'est ce que j'aime le plus dans la vie. Je collectionne les BD depuis que j'ai 5 ans.

Sophie: Wahou ! C'est incroyable. Où est-ce que tu les achètes ?

Mariana Pinguet: Les plus courantes, je les achète dans les magasins de BD. Les plus rares, je les trouve d'habitude dans les marchés d'antiquités.

Sophie: Dans les marchés d'antiquités ? Comme au marché aux grenouilles ?

Mariana Pinguet: Euh.... Oui, parfois j'achète des BD là-bas. C'est tout près de chez moi.

Sophie: Est-ce que tu as déjà vu un homme avec un chapeau au marché ?

Mariana Pinguet: Oui.... Je sais de qui tu parles : un homme très grand avec un chapeau noir, non ?

Vocabulaire

immense huge
une étagère à livres a bookcase
incroyable incredible
d'habitude usually
tout près nearby

20. L'EMPLOYÉ DE MAISON

Alice et Alphonse Pinguet descendent dans le salon pour parler davantage des employés de la maison, tandis que Sophie est dans la chambre de Mariana.

Alice: Je veux en savoir plus sur toutes les personnes qui travaillent dans la maison. C'est possible ?

Alphonse Pinguet: Oui, bien sûr. Il n'y a pas de problème.

Alice: Qui est l'employé qui s'occupe du ménage ?

Alphonse Pinguet: L'employé de maison s'appelle Carlos. Carlos est catalan et je le connais depuis toujours. Son père était un ami de mon père.

Alice: Vous pensez que ça pourrait être le voleur ?

Alphonse Pinguet: Je ne pense pas. C'est un bon garçon et nous avons une grande confiance en lui.

Alice: Parfait. Carlos a vu quelque chose d'étrange le jour du cambriolage ?

Alphonse Pinguet: Pourquoi ne pas lui demander ? Je vais l'appeler.

Vocabulaire

descendre (ils descendent) to go down (they go down)
davantage more
tandis que while
en savoir plus sur to know more about
un ménage a cleaning
avoir confiance en trust in

21. LA BOÎTE MÉTALLIQUE

Tandis que Sophie regarde la collection de bandes dessinées de Mariana, elle voit une boîte en métal qui attire son attention.

Sophie: Qu'est-ce qu'il y a dans cette boîte ?

Mariana Pinguet: Dans cette boîte se trouve ma BD la plus précieuse. Tu veux la voir ?

Sophie: Oui, je veux la voir.

Mariana Pinguet: Regarde....

Sophie: Oh ! Elle est très vieille ?

Mariana Pinguet: Oui, elle a plus de cent ans. Elle vient d'Amérique. Le titre est *Little Nemo in Slumberland*, 'Le petit Nemo au pays du sommeil'.

Sophie: Et de quoi est-ce qu'elle parle ?

Mariana Pinguet: Ça parle d'un garçon qui fait des rêves très étranges.

Sophie: Et cette bande dessinée, elle est très chère ? combien est-ce qu'elle coûte ?

Mariana Pinguet: Euh.... Je ne sais pas. Je ne m'en souviens pas.

Sophie: Pourquoi est-ce que tu ne t'en souviens pas ? Tu l'as achetée il y a longtemps ?

Mariana Pinguet: Je pense qu'il est temps de retourner voir mon père.

Vocabulaire

une boîte a box
un titre a title
un sommeil a sleep
un rêve a dream

22. CARLOS

Alphonse Pinguet appelle Carlos, l'employé de maison. Carlos entre dans la chambre, où Alice et Alphonse prennent le thé. Il s'assoit avec eux, et Alice lui pose des questions sur le jour du vol.

Alice: Vous êtes catalan ?

Carlos: Oui, je suis de Barcelone !

Alice: Comme mon père. Bon dia !

Carlos: C'est génial ! Bon dia !

Alice: Eh bien, si vous voulez, parlons du jour du cambriolage. Il s'est passé quelque chose de bizarre ?

Carlos: C'était hier, n'est-ce pas ?

Alice: Oui, c'était samedi, hier.

Carlos: Tout était normal, rien d'extraordinaire…. Sauf une chose.

Alice: Quoi ?

Carlos: Quand je nettoyais au rez-de-chaussée, j'ai entendu quelqu'un ouvrir le placard à manteaux.

Alice: Et pourquoi c'est bizarre ?

Carlos: Eh bien, il faisait très chaud hier ! Qui a besoin d'un manteau quand il fait très chaud ?

Alice: A quelle heure c'est arrivé ?

Carlos: A 10h30 du matin....

Vocabulaire

s'asseoir (il s'assoit) sit down (he sits down)
sauf except
nettoyer (je nettoyais) to clean (I was cleaning)
un rez-de-chaussée a ground floor
ouvrir open
un placard a cupboard
un manteau a coat
arriver to happen / to arrive

23. LE JARDINIER

Une fois que Carlos quitte la pièce, Alice dit à Alphonse Pinguet ce qu'elle pense de Carlos.

Alice: Il a l'air d'être un bon garçon ! Et je pense qu'il est très intelligent.

Alphonse Pinguet: Oui, c'est un très bon garçon. Et oui, il est très intelligent.

Alice: Vous avez cherché quelque chose dans le placard à manteaux hier ?

Alphonse Pinguet: Non, ce n'était pas moi.

Alice: Maintenant je voudrais savoir qui est le jardinier. Comment est-ce qu'il s'appelle ? D'où est-ce qu'il vient ?

Alphonse Pinguet: Le jardinier s'appelle Fabrice. C'est un Chilien. Il a 30 ans. Il travaille ici depuis un moment.

Alice: Depuis combien de temps est-ce qu'il travaille ici, exactement ?

Alphonse Pinguet: Il travaille ici depuis six mois. C'est un excellent jardinier. Il prend bien soin des plantes. Il adore son travail.

Alice: Vous croyez que le jardinier peut être le voleur ?

Alphonse Pinguet: Je ne pense pas. Je ne me méfie pas de lui. Ça a l'air d'être un bon garçon. En plus, il n'entre presque jamais dans la maison.

Alice: Excellent. Il peut peut-être nous dire quelque chose d'important sur le vol.

Alphonse Pinguet: J'aimerais bien ! Je vais l'appeler.

Vocabulaire

une fois once
avoir l'air (il a l'air) to look, to appear (he looked)
prendre soin (il prend soin) to take care (he takes care)
se méfier (je me méfie) to be suspicious (I am suspicious)
en plus besides that
j'aimerais bien ! I would like to!

24. FABRICE

Le jardinier de la maison, Fabrice, entre dans le salon. Alice lui pose plusieurs questions sur le jour du vol. Fabrice est un garçon grand et mince aux cheveux bruns. Il porte des lunettes. Ses lunettes sont fendues. Elles sont collés avec un morceau de ruban adhésif.

Alice: Bonjour, Fabrice.

Fabrice: Bonjour !

Alice: Je m'appelle Alice. J'enquête sur le vol des dessins. Est-ce que je peux vous poser quelques questions ?

Fabrice: Bien sûr ! Pas de problème. Vous êtes flic ?

Alice: Non, je ne suis pas flic. J'aide juste M. Pinguet.

Fabrice: C'est bien. Qu'est-ce que vous voulez savoir ?

Alice: Je veux juste savoir si le jour du vol, hier, quelque chose d'inhabituel s'est passé dans la maison.

Fabrice: Mmm.... Oui, je crois que j'ai vu quelque chose de bizarre hier.... Mais je ne suis pas sûr.

Alice: Pourquoi n'en êtes-vous pas sûr ?

Fabrice: Vous voyez mes lunettes ? Elles sont cassées ! Elles se sont cassés hier matin pendant que je travaillais. Alors je ne voyais pas bien.

Alice: Qu'est-ce que vous avez vu ?

Fabrice: Il faisait très chaud. C'était une journée ensoleillée. Cependant, vers 10 h 30 du matin, je crois que j'ai vu quelqu'un quitter la maison avec un grand manteau et un chapeau.

Alice: Un chapeau ?!

Fabrice: Oui, je ne voyais pas très bien, mais j'en suis presque sûr.

Vocabulaire

plusieurs several
mince thin
les cheveux (m. pl.) hair
les lunettes (f. pl.) glasses
fendre (elles sont fendues) to crack (they are cracked)
coller to glue
un morceau a piece
un ruban adhésif an adhesive tape
enquêter (j'enquête) to investigate (I am investigating)
un flic a cop
inhabituel unusual
ensoleillé / ensoleillée sunny
cependant however
presque almost

25. LE PREMIER SUSPECT

Fabrice quitte la pièce et Alice lui dit ce qu'elle pense de la personne au manteau et au chapeau.

Alphonse Pinguet: Pourquoi est-ce que vous êtes surprise par le chapeau ?

Alice: Nous avons vu un grand homme avec un chapeau dans la boutique de M. Pierre Lefèvre.

Alphonse Pinguet: Vraiment ?

Alice: Oui ! Est-ce que vous connaissez un grand homme qui porte toujours un chapeau ?

Alphonse Pinguet: Mmm.... Non, je ne connais personne comme ça. Attendez ! Maintenant je me souviens. Il y avait un grand homme avec un chapeau près de la maison hier. Mais je pense que c'était un journaliste. Vous pensez que c'est lui le voleur ?

Alice: Je ne sais pas. Mais on a vu un grand homme avec un chapeau dans la boutique de M. Pierre Lefèvre avant le cambriolage.

Alphonse Pinguet: C'est peut-être le voleur !

Alice: Oui, je pense que c'est peut-être lui.

Vocabulaire

porter to wear
avant before

26. LES CUISINIERS

Alphonse Pinguet appelle alors les deux cuisiniers, Marie et Jérôme, qui sont mari et femme. Ils ont tous les deux environ soixante ans. Ils travaillent avec la famille de Alphonse Pinguet depuis leur plus jeune âge. Ils aiment beaucoup Alphonse. Il est comme un fils pour eux.

Marie: Bonjour, jeune fille.

Alice: Bonjour ! C'est un plaisir de vous rencontrer.

Jérôme: Le plaisir est pour nous.

Alice: Je voulais savoir si hier, le jour du vol, vous avez vu quelque chose d'étrange, quelque chose qui sort de l'ordinaire.

Marie: Mmm.... Je ne pense pas. Je pense que tout était comme d'habitude. Tu en penses quoi, Jérôme ?

Jérôme: C'était une journée très calme. On n'a rien cuisiné avant le soir.

Alice: Personne n'a mangé avant le dîner ?

Alphonse Pinguet: Je n'ai pas déjeuné parce que je n'étais pas à la maison. Je suis allé voir des amis.

Alice: Et Mariana ?

Martha: J'ai parlé à Mariana vers douze heures, à midi. Elle ne voulait pas manger. Elle était vraiment impatiente d'avoir sa nouvelle BD.... Cette fille adore ses BD ! Elle me rappelle son père avec sa collection d'œuvres d'art.

Alice: Ok. Une dernière question, c'est la première fois que des choses ont disparu de la maison ?

Marie: Non, bien sûr que non ! Il y a des choses qui disparaissent tout le temps ces derniers temps. Il y a une semaine, une belle et très précieuse salière en argent a disparu....

Vocabulaire

un mari a husband
une femme a wife
environ approximately
depuis leur plus jeune âge from a very young age
sortir de l'ordinaire (il sort de l'ordinaire) out of the ordinary (it is out of the ordinary)
comme d'habitude as usual
une journée a day (alternative form of *"un jour"*)
un dîner a dinner
déjeuner (j'ai déjeuné) to have lunch (I had lunch)
vers around
rappeler (elle me rappelle) to remind (she reminds me)
dernier / dernière last
premier / première first
ces derniers temps lately
une salière a salt shaker
un argent silver

27. LA DISCUSSION

Une fois Marie et Jérôme sortis de la pièce, Alice pose quelques questions à Alphonse Pinguet.

Alice: Marie et Jérôme forment un très beau couple.

Alphonse Pinguet: Oui, ils font partie de la famille. Je les aime beaucoup.

Alice: C'est normal pour Mariana de sauter le déjeuner ?

Alphonse Pinguet: Oui, parfois elle n'a pas faim, surtout quand elle a trouvé une nouvelle bande dessinée.

Alice: C'est vous qui achetez les BD ?

Alphonse Pinguet: Oui, on se dispute toujours à cause de ça.

Alice: Pourquoi ?

Alphonse Pinguet: Parce qu'elle veut toujours des BD très chères. Elle dépense beaucoup d'argent pour les acheter. Je lui dis d'être plus prudente. Je sais que sa collection est importante pour elle, mais ce n'est qu'une enfant. Il ne faut pas dépenser autant d'argent dans des bandes dessinées.

Alice: Vous vous disputez souvent avec votre fille à ce sujet ?

Alphonse Pinguet: Oui, il y a quelques jours, on s'est disputés à propos d'une bande dessinée très chère qu'elle voulait acheter, je pensais que c'était trop cher pour une BD !

Vocabulaire

former to make
beau / belle beautiful
faire partie de (ils font partie de) to be part of (they are part of)
sauter to skip
surtout especially
avoir faim (elle a faim) to be hungry (she is hungry)
trouver (elle a trouvé) to find (she has found)
se disputer (on se dispute) to argue (we argue)
dépenser (elle dépense) to spend (she spends)
autant so much
quelques a few

28. LA NOUNOU

Alphonse Pinguet appelle la nounou. La nounou de la maison s'appelle Andrea. C'est une fille de vingt ans. Ses cheveux sont noirs et bouclés, sa peau est brune. Elle a les yeux verts.

Alice: Salut, Andrea, tu es la nounou de Mariana ?

Andrea: Salut ! Oui, je suis sa nounou.

Alice: Tu passes la journée avec elle ?

Andrea: Pendant l'été, je passe habituellement toute la journée avec elle. Le reste de l'année, elle passe une grande partie de la journée à l'école. Pendant qu'elle est à l'école, je vais à l'université. J'étudie la pédagogie, un jour je vais être enseignante pour beaucoup d'enfants comme Mariana !

Alice: Ça a l'air génial. Et les week-ends ?

Andrea: Le week-end, Mariana reste généralement dans sa chambre. Elle ne veut jamais sortir.

Alice: Qu'est-ce qu'elle fait là ?

Andrea: Elle lit ses bandes dessinées. Elle aime ces bandes dessinées plus que tout.

Alice: Il s'est passé quelque chose de bizarre hier ?

Andrea: Je ne sais pas ! Je n'étais pas à la maison hier toute la journée. Je suis allée voir mes parents à Perpignan.

Vocabulaire

bouclé / bouclée curly
une peau a skin
vert / verte green
passer to spend
un enseignant / une enseignante a teacher
généralement usually
plus que tout more than anything

29. LE GARDIEN DE SÉCURITÉ

Quand Andrea quitte la pièce, Alice pose quelques questions à Alphonse.

Alice: Andrea semble être une bonne nounou. Cependant, est-ce qu'il normal que Mariana soit seule dans la maison, comme hier ?

Alphonse Pinguet: Oui, pas très souvent, mais ça peut arriver. Mariana est grande maintenant. Elle peut rester seule. En plus, il y a toujours notre gardien de sécurité dans la maison, ainsi que Marie, Jérôme et les autres.

Alice: Qui est le gardien de sécurité ? Quel est son nom ? D'où est-ce qu'il vient ?

Alphonse Pinguet: L'employé de sécurité s'appelle Daniel. Il est portugais, mais il parle très bien français.

Alice: Quel âge est-ce qu'il a ?

Alphonse Pinguet: Il a environ quarante ans.

Alice: Il travaille ici depuis longtemps ?

Alphonse Pinguet: Oui, il travaille ici depuis cinq ans.

Alice: Est-ce qu'il fait bien son travail ?

Alphonse Pinguet: Oui, Daniel travaille très bien. Il contrôle principalement les caméras de sécurité. Il n'y a jamais eu de cambriolage dans cette maison… jusqu'à hier !

Vocabulaire

rester to stay
principalement mainly

30. DANIEL

Alphonse appelle Daniel, le gardien de sécurité, pour qu'Alice lui pose quelques questions.

Alice: Bonjour ! J'ai quelques questions à propos d'hier, si ce n'est pas un problème.

Daniel: Bien sûr. Il n'y a pas de soucis.

Alice: Pour commencer, est-ce qu'il s'est passé quelque chose d'étrange hier ?

Daniel: Je ne me souviens de rien de très étrange. J'ai regardé les caméras toute la journée. Alice: Dans les enregistrements, je ne vois personne d'étrange entrer dans la maison.

Alice: Est-ce que quelqu'un d'autre a la clé de la maison à part les gens qui travaillent ici ?

Daniel: Non. Seuls ceux d'entre nous qui travaillent ici ont la clé de la maison, ainsi que M. Pinguet et sa fille.

Alice: Je vois. Vous croyez qu'on pourrait voir les images des caméras de sécurité ?

Daniel: Bien sûr, ce n'est pas un problème ! Je vais chercher la tablette où se trouve tous les enregistrements.

Vocabulaire

pour que so that
à propos de about
il n'y a pas de soucis there's nothing to worry about
un enregistrement a recording
à part apart from
ceux d'entre nous those of us
on pourrait we could
se trouver to be located

31. LES ENREGISTREMENTS

Daniel cherche la tablette où il a les images des caméras de sécurité. On peut y voir tous les gens qui entrent et sortent de la maison.

Alice: Est-ce que quelqu'un a quitté la maison vendredi soir ?

Daniel: Non, personne n'a quitté la maison avant samedi matin.

Alice: Qui était la première personne à quitter la maison le samedi ?

Daniel: La première à sortir était Andrea. C'est là. Elle quitte la maison à 9 heures du matin.

Alice: Elle allait rendre visite à ses parents à Perpignan.

Daniel: Puis, à 10 heures, M. Pinguet part.

Alice: Il allait rendre visite à des amis.

Alphonse Pinguet: Exactement !

Daniel: Puis à 10h30, Carlos sort. On ne voit pas son visage, mais c'est son manteau et son chapeau... mais je ne sais pas pourquoi il portait un manteau. Il faisait très chaud.

Alice: Ce n'est pas Carlos ! Il était à l'intérieur, en train de nettoyer.

Daniel: C'est vrai ? Attendez... on peut voir la caméra du rez-de-chaussée. C'est vrai ! C'est Carlos, il nettoie.

Alphonse Pinguet: Qui est cette personne qui sort de la maison avec un chapeau ?

Alice: C'est une personne qui ne veut pas être vue par les caméras !

Vocabulaire

les gens (m. pl.) people
rendre visite à to visit
puis then
à l'intérieur inside
en train de (il était en train de nettoyer) -ing (he was cleaning up)

32. LA PERSONNE SUR LES ENREGISTREMENTS

Alice, Daniel et Alphonse Pinguet regardent les images des caméras de sécurité de la veille. Il y a une personne qui a quitté la maison avec un manteau et un chapeau. On ne voit pas son visage.

Alice: Passons à autre chose. Quelqu'un d'autre est sorti de la maison ?

Daniel: Non. Un peu plus tard, à 11 heures, la personne au chapeau retourne à la maison. C'est quelqu'un qui vit ici ! Il a la clé.

Alice: C'est ce qu'on dirait. Alors qui entre ?

Daniel: Vers deux heures de l'après-midi, M. Pinguet arrive, et vers cinq heures de l'après-midi, Andrea revient.

Alice: Alphonse, à quelle heure est-ce que vous avez découvert que les œuvres n'étaient pas là où elles devraient être ?

Alphonse Pinguet: Vers six heures de l'après-midi. Tous les soirs, je vais voir ma collection à cette heure-là. Hier, j'ai immédiatement remarqué quelque chose d'étrange. Les dessins de Monet avaient disparu !

Daniel: A six heures et demie, vous pouvez voir dans les enregistrements que la police arrive à la maison.

Alice: Regardez ! Là-bas, avec la police... il y a un homme avec un chapeau !

Vocabulaire

passons à autre chose let's move on
la veille the night before
c'est ce qu'on dirait that's what it seems like
revenir (elle revient) to come back (she comes back)
remarquer (j'ai remarqué) to notice (I have noticed)

33. DEUX CHAPEAUX

Alice, Daniel et Alphonse Pinguet regardent toujours les images des caméras de sécurité de la veille. Ils se demandent qui est l'homme au chapeau avec la police.

Alphonse Pinguet: Vous pensez que c'est la même personne qui a quitté la maison, Alice ?

Alice: Je ne pense pas. Cette personne est dehors. L'autre personne est à l'intérieur. Ça ne peut pas être la même personne.

Alphonse Pinguet: Alors vous pensez qu'il y a deux personnes avec des chapeaux ?

Alice: Oui, peut-être. Regardez les enregistrements : l'homme au chapeau parle à la police.

Alphonse Pinguet: C'est peut-être un détective, vous pensez qu'il est détective ?

Alice: Oui, peut-être. Il ressemble beaucoup à l'homme au chapeau qui était dans le magasin de Pierre Lefèvre ce matin-là.... Je pense que c'est la même personne.

Vocabulaire

toujours (ils regardent toujours) still (they are still looking)
se demander (ils se demandent) to wonder (they wonder)
dehors outside

34. LES CONCLUSIONS

Quand Daniel part, Alphonse et Alice réfléchissent à ce qu'elles ont découvert jusqu'ici.

Alice: Eh bien, qu'est-ce que nous savons pour l'instant ?

Alphonse Pinguet: Pour commencer, nous savons que les tableaux ont disparu le samedi matin.

Alice: Sophie et moi avons vu les tableaux dans la boutique de M. Pierre Lefèvre au marché aux grenouilles samedi vers 11h30.

Alphonse Pinguet: Le marché aux grenouilles est très proche. La personne qui a pris les dessins a pu les prendre, les vendre dans le magasin et retourner à la maison en quelques minutes.

Alice: Seulement trois personnes ont quitté la maison le samedi avant 11h : vous, Andrea, et la mystérieuse personne avec le manteau et le chapeau.

Alphonse Pinguet: Cette personne a pris le manteau et le chapeau de Carlos dans le placard pour quitter la maison sans que son visage ne soit vu par les caméras.

Vocabulaire

réfléchir (ils réfléchissent) to think about (they think about)
pour l'instant for now
seulement only

35. SOPHIE ET MARIANA PINGUET REVIENNENT

La porte du salon s'ouvre. C'est Mariana et Sophie.

Alphonse Pinguet: Mariana, tu as montré ta collection de BD à Sophie ?

Mariana Pinguet: Oui, papa.

Sophie: Mariana a une belle collection.... Très complète.

Alice: Mariana, je peux te poser une petite question ?

Mariana Pinguet: Oui.

Alphonse Pinguet: Allez-y, pas de problème.

Alice: Est-ce que tu as quitté la maison hier ?

Mariana Pinguet: Non, je n'ai jamais quitté la maison.

Alice: D'accord. Et est-ce que tu as entendu quelqu'un dans le placard à manteaux ?

Mariana Pinguet: Mmm... Oui ! Au matin je crois que j'ai entendu quelqu'un ouvrir le placard et prendre un manteau et un chapeau.

Alice: Excellent ! D'accord. Merci, Mariana.

une porte a door
allez-y go on
d'accord all right

36. LA PROMESSE

Sophie et Alice se lèvent pour retourner à l'hôtel.

Alphonse Pinguet: Les filles, vous êtes très gentilles. J'espère qu'on trouvera le voleur. Ces œuvres sont très précieuses. Elles valent des centaines de milliers d'euros. En plus, elles sont très importants pour moi. J'adore ces tableaux. C'est mon plus grand trésor.

Sophie: C'est un plaisir pour nous. Merci de nous avoir permis de participer à tout ça. L'art est très important pour moi aussi.

Alice: Nous vous promettons que nous ferons tout notre possible pour retrouver vos tableaux volés, M. Pinguet.

Alphonse Pinguet: Si vous le faites, je vous donnerai une grande récompense.

Alice: Ce n'est pas nécessaire. On ne le fait pas pour l'argent.

Sophie: Au revoir, monsieur. Nous resterons en contact avec vous. S'il y a du nouveau, nous vous tiendrons au courant.

Alphonse Pinguet: Au revoir, les filles.

Vocabulaire

une promesse a promise
se lever (elles se lèvent) to get up (they get up)
gentil / gentille kind
permettre (avoir permis) to allow (to have allowed)
promettre (nous promettons) to promise (we promise)
nous ferons tout notre possible we will do everything we can
donner (je donnerai) to give (I will give)
Il y a du nouveau There's been some news
tenir au courant (nous vous tiendrons au courant) to keep informed
(we will keep you informed)

37. ALICE DIT À SOPHIE CE QU'ELLE SAIT

Quand elles quittent la maison, Alice raconte à Sophie tout ce qu'elle a découvert.

Alice: J'ai parlé à tous les employés de la maison.

Sophie: Avec tous ? Qui est-ce qu'ils sont ?

Alice: Il y en a six : Carlos, l'employé de maison ; Fabrice, le jardinier ; Marie et Jérôme, les cuisiniers ; Andrea, la nounou ; et Daniel, le responsable de la sécurité.

Sophie: Excellent. Quelqu'un a l'air suspect ?

Alice: Non, aucun d'entre eux n'a vraiment l'air suspect. Ils sont tous très gentils. Ils ont répondu à toutes mes questions.

Sophie: Qu'est-ce qu'ils t'ont dit ?

Alice: Dans les enregistrements des caméras de sécurité, on a pu vérifier que le voleur est quelqu'un de la maison. Seulement trois personnes ont quitté la maison le samedi : Alphonse Pinguet, la nounou et une personne couverte d'un manteau et d'un chapeau.

Sophie: C'est l'homme au chapeau du magasin ?

Alice: Apparemment, non. C'est quelqu'un de la maison qui a pris un manteau et un chapeau dans le placard. Carlos et Mariana le confirment : quelqu'un a ouvert le placard. Ils l'ont entendu.

Sophie: Tu en sais déjà beaucoup sur cette affaire. Tu es une bonne détective.

Alice: Merci. Qu'est-ce que tu as découvert ?

Vocabulaire

raconter (elle raconte) to tell (she tells)
aucun d'entre eux none of them
couvrir (couvert) to cover (covered)

38. SOPHIE DIT À ALICE CE QU'ELLE SAIT

Sophie et Alice parlent encore de ce qu'elles savent. Elles marchent sur le trottoir, devant le manoir de Alphonse Pinguet.

Sophie: La collection de BD de Mariana est énorme. On peut voir qu'elle aime beaucoup les bandes dessinées, tout comme son père aime les œuvres d'art de Monet.

Alice: Tu ne trouves pas que Mariana se comporte un peu bizarrement ?

Sophie: Oui, je suis d'accord. Je pense qu'elle se comporte bizarrement. Quand je lui ai demandé le prix d'une de ses BD, elle est devenue très mal à l'aise. Tu trouves ça suspect ?

Alice: Je ne sais pas. Peut-être qu'elle sait quelque chose qu'elle ne veut pas dire.

Sophie: Pourquoi est-ce que tu penses qu'elle ne nous dit pas tout ce qu'elle sait ?

Alice: Elle protège peut-être quelqu'un.

Sophie: Qui ? Le voleur ?

Alice: Bien sûr. Et le voleur est l'une des trois personnes que tu as vu dans les enregistrements : la personne mystérieuse, la nounou ou même son père !

Vocabulaire

marcher (elles marchent) to walk (they are walking)
un trottoir a sidewalk
devant in front of
tout comme just like
se comporter (elle se comporte) to behave (she's behaving)
devenir (elle est devenue) to become (she has become)
mal à l'aise uncomfortable
protéger to protect
même even

39. ÇA RECOMMENCE !

Quand elles s'éloignent, Sophie n'arrive pas croire ce qu'elle voit….

Sophie: Alice, regarde ! C'est l'homme au chapeau ! C'est le même homme du magasin de Pierre Lefèvre !

Alice: C'est vrai. C'est lui ! Dans les enregistrements, cet homme était avec la police. Je pense que c'est peut-être un détective.

Sophie: Je pense qu'il est très suspect. Qu'est-ce qu'il fait ici ?

Alice: Je ne sais pas, mais je veux le savoir. Allons lui parler.

Sophie: Tu es folle, Alice ?

Alice: Allez-y. Il s'en va ! Courons !

Sophie: Tu es vraiment folle….

Alice: Il s'enfuit aussi. Je crois qu'il nous a vues. Il nous échappe.

Sophie: Il va au marché aux grenouilles. Il y a beaucoup de gens là-bas et beaucoup de magasins. Ça va être dur de le trouver dans tout ça….

Vocabulaire

recommencer (ça recommence) to happen again (here we go again)
s'éloigner (elles s'éloignent) to walk away (they are walking away)
fou / folle crazy
s'en aller (il s'en va) to leave (he is leaving)
courir (courons !) to run (let's run!)
s'enfuir (il s'enfuit) to run away (he is running away)
échapper to escape

40. EN POURCHASSANT L'HOMME AU CHAPEAU

A l'intérieur du marché aux grenouilles, Sophie et Alice poursuivent l'homme au chapeau. L'homme marche très vite entre les gens, les étals et les magasins.

Sophie: Je ne le vois pas. Tu le vois ?

Alice: Non. Je l'ai perdu. Je sais ! Allons sur la terrasse de ce café. De là-haut, on verra mieux.

Sophie: Tu es sûre ? C'est de la folie....

Alice: Oui, allez.

Sophie: Tu avais raison ! D'ici, on peut voir tout le marché.

Alice: Regarde, il est là !

Sophie: Il rentre dans cette ruelle.

Alice: Suivons-le !

Vocabulaire

poursuivre (elles poursuivent) to chase (they are chasing)
un étal a stall
perdre (je l'ai perdu) to lose (I have lost him)
de là-haut from up there
une ruelle an alley

41. LA RUELLE

Alice et Sophie suivent l'homme au chapeau dans une allée du marché aux grenouilles. Dans cette ruelle, il y a trois magasins et elles ne savent pas dans lequel il est entré. L'un est un magasin de montres, l'autre est un magasin de meubles anciens et le troisième est un magasin de livres d'art.

Sophie: Où est-ce que tu penses qu'il se trouve ?

Alice: Il est probablement à l'intérieur d'un de ces trois magasins. Je ne sais pas dans lequel il est entré.

Sophie: Tu penses qu'il est à l'intérieur du magasin de montres ?

Alice: Non, je ne pense pas qu'il soit à l'intérieur du magasin de montres.

Sophie: Peut-être qu'il est à l'intérieur du magasin de meubles anciens....

Alice: Je ne pense pas qu'il soit là non plus.

Sophie: Alors il doit être dans la librairie d'art.

Alice: Oui…. Je pense que c'est très probable.

Sophie: On va voir s'il est entré là ?

Alice: Oui, allons le trouver !

Vocabulaire

l'un one of them
un meuble a piece of furniture
une librairie a bookstore

42. LA LIBRAIRIE D'ART

Sophie et Alice entrent dans la librairie d'art et, parmi les bibliothèques, trouvent l'homme au chapeau assis à une table, lisant un livre. On dirait qu'il les attend.

Alice: Le voilà !

L'homme au chapeau: Alice, Sophie, je vous attendais.

Sophie: Comment est-ce que vous connaissez nos noms ?!

L'homme au chapeau: Je sais beaucoup de choses....

Alice: Comment est-ce que vous vous appelez ?

L'homme au chapeau: Je ne peux pas encore vous dire mon nom.

Alice: On peut s'asseoir ?

L'homme au chapeau: Oui, bien sûr. Assieds-toi, je t'en prie. On a beaucoup de choses à se dire.

Alice: Vous nous suivez ?

L'homme au chapeau: Au contraire, je pense que c'est vous qui me suivez.

Alice: Eh bien.... C'est vrai. Mais seulement parce que vous êtes toujours là où des choses étranges arrivent.

L'homme au chapeau: Des choses étranges ? Comme quoi ?

Alice: Des choses comme le vol des œuvres de Monet chez Alphonse Pinguet. Et des choses comme voler ces mêmes œuvres dans la boutique de Pierre Lefèvre.

Vocabulaire

parmi among
une bibliothèque a bookcase
le voilà ! there he is!
je t'en prie please

43. FACE À FACE AVEC L'HOMME AU CHAPEAU

Alice et Sophie parlent à l'homme au chapeau à l'intérieur de la librairie d'art du marché aux grenouilles.

L'homme au chapeau: Donc vous m'avez vu ce jour-là au magasin de Pierre Lefèvre.

Alice: Oui, on vous a vu là-bas. Puis on vous a vu en sortant.

L'homme au chapeau: D'accord. Je vois que vous êtes très observatrice.

Alice: On vous a aussi vu chez Alphonse Pinguet le jour du cambriolage.

L'homme au chapeau: Vraiment ? Comment ?

Alice: Dans les caméras de sécurité. Dans les enregistrements, vous parlez à la police.

L'homme au chapeau: Oui, bien sûr. C'est vrai. Vous êtes vraiment très observatrice !

Sophie: Vous avez quelque chose à voir avec le vol, monsieur ?

L'homme au chapeau: Je ne suis pas le voleur, c'est sûr.

Sophie: Vous êtes policier ?

L'homme au chapeau: Non, je ne suis pas de la police.

Sophie: Vous êtes détective, alors ?

L'homme au chapeau: Non, pas exactement.

Alice: Alors, qu'est-ce que vous êtes ?

Vocabulaire

ce jour-là on that day
en sortant on the way out
observateur / observatrice observant

44. LE CLUB DES HISTORIENS

L'homme au chapeau dit à Alice et Sophie qu'il fait partie d'une équipe d'enquêteurs experts qui résolvent des mystères dans le monde entier.

L'homme au chapeau: Je suis chercheur.

Sophie: Et sur quoi est-ce que vous enquêtez ? Des crimes ? Des vols ?

L'homme au chapeau: Pas exactement. Je fais partie d'un groupe de personnes.

Alice: Une organisation secrète ?

L'homme au chapeau: Oui, c'est une organisation secrète. On nous appelle le Club des Historiens.

Alice: Et qu'est-ce que vous faites dans cette organisation ?

L'homme au chapeau: On résout des mystères.

Sophie: Vous résolvez toutes sortes de mystères ?

L'homme au chapeau: Non, on ne résout que les mystères liés à l'histoire de l'art, l'archéologie et l'architecture.

Sophie: Comme le vol des œuvres de Monet !

L'homme au chapeau: Exactement !

Vocabulaire

un enquêteur an investigator
un monde a world
entier / entière whole
toutes sortes all kinds
lié à related to

45. CE QUE L'HOMME AU CHAPEAU FAISAIT AU MARCHÉ

Sophie et Alice partagent ce qu'elles savent de l'affaire avec l'homme au chapeau.

Alice: Alors, qu'est ce que vous savez de l'affaire ?

L'homme au chapeau: D'abord, j'aimerais savoir ce que vous savez.

Alice: Eh bien…. Pour commencer, on sait que quelqu'un a pris les œuvres de Monet chez Alphonse Pinguet samedi dernier.

L'homme au chapeau: À quelle heure ?

Alice: Avant 11h30.

L'homme au chapeau: Pourquoi ?

Alice: Parce qu'aux environs de 11h30, nous avons vu les œuvres dans la boutique de Pierre Lefèvre.

L'homme au chapeau: Très bien ! Oui, je sais. J'étais là aussi….

Sophie: Qu'est-ce que vous faisiez là-bas ?

L'homme au chapeau: Honnêtement, j'enquêtais sur des œuvres d'art volées. Il y a de nombreuses œuvres d'art volées au marché aux grenouilles. Je voulais voir qui allait vendre de l'art aux magasins, pour attraper les voleurs d'art.

Sophie: Alors vous avez entendu notre conversation par hasard ?

L'homme au chapeau: Bien sûr ! Mais j'ai tout de suite su que quelque chose n'allait pas….

Vocabulaire

partager (elles partagent) to share (they share)
d'abord first of all
aux environs de around
honnêtement honestly
nombreux / nombreuse numerous
par hasard by accident
tout de suite right away
j'ai su que quelque chose n'allait pas I knew something was wrong.

46. CE QUE L'HOMME AU CHAPEAU A FAIT ENSUITE

L'homme au chapeau raconte à Sophie et Alice ce qu'il a fait le jour du vol.

L'homme au chapeau: Hier, dans la boutique de Pierre Lefèvre, j'ai entendu votre conversation sur les dessins de Monet. Puis je suis allé voir quels musées et collections privées de la ville avaient les dessins originaux de Monet. Ça m'a surpris ! J'ai appris qu'il y avait une collection privée avec de nombreux tableaux de Monet juste en face du marché aux grenouilles.

Sophie: La collection d'Alphonse Pinguet !

L'homme au chapeau: Exactement ! Je suis resté près de la maison jusqu'à l'arrivée de la police.

Alice: La police sait quelque chose ?

L'homme au chapeau: Non, ils n'avaient aucune idée de qui c'était. Qui est le voleur, d'après vous ?

Alice: N'oubliez pas qu'il peut y avoir deux voleurs ! Quelqu'un a pris les dessins de la maison…. Mais quelqu'un les a aussi volé dans la boutique de Pierre Lefèvre.

L'homme au chapeau: Exactement ! Tu es très

intelligente, Alice.

Vocabulaire

ensuite then
surprendre (ça m'a surpris) to surprise (it has surprised me)
en face de in front of

47. LES SUSPECTS

L'homme au chapeau parle à Sophie et Alice des suspects de l'affaire.

L'homme au chapeau: Bien qu'il y ait deux voleurs, je pense qu'on devrait penser au premier voleur.

Alice: On est presque certaines que le premier voleur était quelqu'un de la maison. Dans les caméras de sécurité, on peut voir que ce jour-là Alphonse Pinguet, la nounou Andrea et quelqu'un d'autre ont quitté la maison....

L'homme au chapeau: Quelqu'un d'autre ?

Alice: Oui, quelqu'un qui porte un chapeau et un manteau. On ne voit pas son visage sur les caméras.

L'homme au chapeau: Un homme ou une femme ?

Alice: On ne sait pas !

L'homme au chapeau: À quelle heure est-ce qu'il a quitté la maison ?

Alice: 10h30.

L'homme au chapeau: Puis il est revenu ?

Alice: Oui, il est revenu à 11h.

L'homme au chapeau: Le premier voleur est certainement quelqu'un dans la maison !

Alice: Oui, mais qui ?

Vocabulaire

bien que although

48. L'HOMME AU CHAPEAU DISPARAÎT

Sophie et Alice parlent à l'homme au chapeau dans la librairie d'art. Cependant, pendant qu'ils discutent, un bruit fort fait se retourner Sophie et Alice. Plusieurs livres sont tombés d'une bibliothèque. Quand elles se retournent, l'homme au chapeau est parti !

Sophie: Où est passé l'homme au chapeau ? Il y a une seconde, il était assis ici.

Alice: Il a disparu ! Comme par magie !

Sophie: Et qui a laissé tomber ces livres derrière nous ? J'ai eu la trouille….

Alice: Je ne sais pas. Peut-être que quelqu'un nous espionnait de derrière cette bibliothèque.

Sophie: Quelle frayeur !

Alice: Oui, cette affaire est très étrange. Regarde ça….

Sophie: Le livre que l'homme au chapeau lisait quand on est arrivées ? Qu'est-ce qu'il a de si spécial ?

Alice: Ce n'est pas n'importe quel livre, c'est une BD !

Vocabulaire

se retourner to turn around
tomber (ils sont tombés) to fall (they have fallen)
passer (où il est passé ?) to go (where did he go?)
comme par magie as if by magic
derrière behind
avoir la trouille (j'ai eu la trouille) be scared (informal) (I was scared)
espionner (il nous espionnait) to spy (he was spying on us)
quelle frayeur ! what a fright!
qu'est-ce qu'il a de si spécial ? what's so special about it?
n'importe quel any

49. ANDREA SUR LE MARCHÉ

Sophie et Alice quittent la librairie.

Sophie: On se repose ? Il se fait tard. Peut-être qu'on peut continuer l'enquête demain matin.

Alice: Oui, la vie de détective est épuisante !

Sophie: Eh, regarde qui est là !

Alice: C'est Andrea, la nounou de Mariana Pinguet !

Sophie: Oui, tu crois qu'elle vient souvent au marché ?

Alice: Mmm…. Je ne sais pas, demandons au vendeur. Excusez-moi, monsieur, est-ce que vous avez déjà vu cette fille ici ?

Vendeur: Andrea ? Oui, bien sûr, elle vient souvent ici.

Alice: Elle achète beaucoup d'antiquités ?

Vendeur: Eh bien…. Pas vraiment, je ne pense pas. Je ne l'ai jamais vue acheter quoi que ce soit.

Alice: Merci beaucoup, monsieur.

Sophie: C'est suspect, tu ne trouves pas ?

Alice: Oui, je pense que c'est plutôt suspect….

Vocabulaire

se reposer (on se repose ?) to rest (let's rest)
se faire tard (il se fait tard) to get late (it is getting late)
épuisant / épuisante exhausting
quoi que ce soit anything

50. TOUJOURS DANS LA BOUTIQUE DE PIERRE LEFÈVRE

Sophie et Alice sont très surprises de voir Andrea au marché aux grenouilles.

Sophie: Il est possible qu'Andrea vienne ici simplement parce qu'elle aime les antiquités.

Alice: Oui, bien sûr. Ce n'est pas forcément la voleuse.

Sophie: D'ailleurs, Pierre Lefèvre a dit que la personne qui lui a apporté les œuvres est un homme....

Alice: C'est vrai. On pourrait aller lui demander, avant de retourner à l'hôtel... Si ça ne te dérange pas.

Sophie: Bien sûr ! Je suis fatiguée, mais ça ne me dérange pas de faire un petit détour... puisqu'on est déjà ici.

Alice: Tu es géniale, Sophie ! Merci.

Sophie: Je t'en prie, Alice. C'est un plaisir d'enquêter sur ce mystère avec toi. Allez, viens !

Alice: Regarde, les vitrines du magasin sont toujours cassées. Voilà M. Pierre Lefèvre. On entre ?

Sophie: Oui, bien sûr.

Pierre Lefèvre: Bonjour, les filles ! Comment ça va ?

Alice: Très bien, monsieur. On ne veut pas vous déranger. On voulait juste vous interroger à nouveau sur la personne qui a apporté les dessins de Monet hier.

Pierre Lefèvre: Ah, oui, cette fille mystérieuse....

Alice: Une fille ?! Vous n'avez pas dit que c'était un homme avant ?

Vocabulaire

forcément necessarily
d'ailleurs besides
déranger (ça ne te dérange pas) to bother (it doesn't bother you)
interroger to question
à nouveau again

51. LA MÉMOIRE

Pierre Lefèvre dit accidentellement que la personne qui a apporté les dessins de Monet au magasin était une fille, pas un homme.

Sophie: Est-ce que vous n'avez pas dit que c'était un homme qui avait apporté les tableaux ? Un homme mystérieux ?

Alice: Oui, vous avez dit ça. Je m'en souviens parfaitement ! Vous n'avez jamais parlé d'une fille....

Pierre Lefèvre: C'est vrai.... J'ai dit que c'était un homme. Mais maintenant je m'en souviens bien. Ce n'est pas un homme qui m'a apporté les dessins de Monet. C'était une fille !

Alice: Pourquoi n'avez-vous pas dit la vérité ?

Pierre Lefèvre: Ma mémoire est très mauvaise.... Et je ne m'en souviens pas bien.

Alice: Mmm.... Et maintenant vous vous en souvenez ?

Pierre Lefèvre: Oui, je me souviens maintenant. C'était une fille.

Alice: Est-ce que par hasard c'était une fille aux cheveux noirs bouclés et aux yeux verts ?

Pierre Lefèvre: Mmm.... Oui, exactement ! Maintenant je me souviens : c'était une fille aux cheveux noirs bouclés et aux yeux verts.

Vocabulaire

mauvais / mauvaise bad

52. SOPHIE ET ALICE DOUTENT DE M. PIERRE LEFÈVRE

Alice et Sophie quittent la boutique de Pierre Lefèvre et prennent deux bicyclettes municipales pour se rendre à l'hôtel. Alors qu'elles pédalent vers l'hôtel, elles parlent de leurs doutes.

Alice: Il y a quelque chose d'étrange dans le comportement de M. Pierre Lefèvre , tu ne trouves pas ?

Sophie: Oui, je suis d'accord.

Alice: Je pense qu'il n'est pas complètement honnête avec nous.

Sophie: Tu penses que Pierre Lefèvre nous ment ?

Alice: Ouais, je pense qu'il ment peut-être.

Sophie: Tu crois que c'est lui le voleur ?

Alice: Non, je ne pense pas qu'il soit le voleur. Le voleur... ou la voleuse doit être quelqu'un dans la maison. C'est impossible.

Sophie: Mais peut-être que Pierre Lefèvre a un accord avec quelqu'un dans la maison.

Alice: Oui, mais alors pourquoi avoir vendu les œuvres de Monet à un prix aussi bas ?

Sophie: C'est exact. Pourtant, je pense qu'il ment. Il cache quelque chose.

Alice: Je suis d'accord ! Il est très suspect.

Sophie: Mais tout indique que la voleuse est Andrea....

Alice: Oui, nous devons trouver un moyen de le prouver.

Vocabulaire

douter (elles doutent) to doubt (they doubt)
municipal / municipale city (adjective)
se rendre à to get to
vers towards
un doute a doubt
un comportement a behaviour
mentir (il ment) to lie (he is lying)
ouais yeah
être d'accord (je suis d'accord) to agree (I agree)
un accord an agreement
bas low
pourtant nevertheless
cacher (il cache) to hide (he's hiding)

53. AU RESTAURANT

Sophie et Alice vont dans un restaurant dans le quartier parisien de la Bastille dans la soirée. Là, elles parlent de l'affaire.

Serveur: Bonsoir, qu'est-ce que je vous sers ?

Alice: J'ai tellement faim ! Je crois que je vais prendre un gratin dauphinois.

Sophie: Qu'est-ce que c'est ?

Alice: C'est un plat typique de Paris ! Il y a des pommes de terre, du fromage et du poivre.

Sophie: Ça me semble bien....

Serveur: Vous prendrez la même chose, mademoiselle ?

Sophie: Non, non, je n'ai pas si faim que ça. Un sandwich au jambon, ça ira.

Serveur: D'accord, je vous amène ça !

Sophie: Merci beaucoup !

Alice: Eh bien, maintenant nous pouvons penser calmement.

Sophie: Qu'est-ce que tu as en tête ?

Alice: Eh bien, on soupçonne que la voleuse est peut-être Andrea, mais on n'est pas sûres. Il y a une personne mystérieuse qui a quitté la maison portant d'un chapeau et d'un manteau. Il est aussi possible que cette personne soit le voleur.

Sophie: Comment prouver la culpabilité ou l'innocence d'Andrea ?

Vocabulaire

une soirée an evening
un gratin dauphinois a gratin dauphinois (a typical French dish)
une pomme de terre a potato
un fromage a piece of cheese
un poivre a pepper
sembler (ça me semble bien) to seem (it seems fine to me)
mademoiselle Miss
je n'ai pas si faim I'm not that hungry
un jambon a piece of ham
ça ira it'll be fine
amener (j'amène) to bring (I bring)
avoir en tête to have in mind
une tête a head
soupçonner (on soupçonne) to suspect (we suspect)

54. LE PLAN

Dans le restaurant, Sophie et Alice cherchent un moyen de vérifier si Andrea est la voleuse des dessins de Monet.

Alice: J'ai une idée ! C'est une idée qui marche généralement dans les livres policiers. On va chez Alphonse Pinguet demain. Là, on lui demandera d'appeler tous ceux qui travaillent dans la maison.

Sophie: D'accord.... Et après ?

Alice: Une fois qu'ils seront tous là, on leur dira ce qu'on sait.

Sophie: Qu'est-ce qu'on sait ?

Alice: Tout d'abord, on dira qu'on sait que le voleur est quelqu'un de la maison. Ensuite, on dira que Pierre Lefèvre s'est souvenu que la personne qui a apporté les dessins de Monet à son magasin n'était pas un homme, mais une femme....

Sophie: D'accord, quoi d'autre ?

Alice: On dira que Pierre Lefèvre se souvient très bien du visage de cette personne. Ensuite, on leur dira qu'on va l'appeler pour qu'il nous dise qui est le voleur... à moins que cette personne ne veuille tout avouer.

Sophie: Tu crois que ça va marcher ? Et si ça ne marche pas ?

Alice: Si personne ne dit rien, on appellera Pierre Lefèvre pour voir ce qu'il dit....

Serveur: Les filles, voilà votre commande. Bon appétit !

Alice et Sophie: Super ! Merci.

Vocabulaire

marcher (elle marche) to work (it works)
un livre policier a detective book
tout d'abord first of all
quoi d'autre ? what else?
à moins que unless
avouer to confess
une commande an order
bon appétit ! enjoy!

55. ENCORE DANS LA MAISON DES PINGUET

Le lendemain, Sophie et Alice retournent chez les Pinguet.

Alphonse Pinguet: Bonjour, les filles ! Ravi de vous revoir.

Alice: Bonjour, M. Pinguet ! Le plaisir est pour nous.

Alphonse Pinguet: On va dans le salon ?

Sophie: Bien sûr !

Alice: M. Pinguet, on est venues parce que nous avons un plan. On pense avoir trouvé qui est le voleur. C'est quelqu'un dans la maison !

Alphonse Pinguet: Oui, je l'avais imaginé, mais qui ?

Alice: C'est à ça que sert notre plan, pour confirmer que c'est la personne à laquelle on pense.

Alphonse Pinguet: Qu'est-ce qu'on va devoir faire ?

Sophie: Vous devrez appeler tous ceux qui vivent dans la maison. On se retrouve dans le salon.

Vocabulaire

ravi de pleased to
servir (il sert) to be for (it is for)
vivre (ils vivent) to live (they live)
se retrouver (on se retrouve) to meet (again) (we meet)

56. LA PREUVE

Carlos (l'employé de maison), Fabrice (le jardinier), Marie et Jérôme (les cuisiniers), Daniel (le gardien de sécurité), Andrea (la nounou) et Mariana Pinguet arrivent au salon. Tout le monde dit bonjour à Sophie et Alice, puis s'assoit.

Marie: Qu'est-ce qu'il se passe les filles ? Vous avez trouvé quelque chose sur le cambriolage ?

Daniel: Est-ce que vous savez qui est la personne qui a quitté la maison avec le chapeau et le manteau ?

Carlos: Avec mon chapeau et mon manteau. Je n'ai pas quitté la maison samedi !

Fabrice: Est-ce que vous savez déjà où sont les dessins de Monet ?

Alphonse Pinguet: Silence, silence tout le monde. Les filles savent des choses sur l'affaire. Si on se tait, elles nous diront tout.

Alice: C'est vrai. On sait que le voleur est quelqu'un de cette maison.

Jérôme: Non ! C'est impossible !

Alice: Oui, c'est quelqu'un d'ici... quelqu'un qui est dans cette pièce !

Carlos: Et comment est-ce que vous le savez ?

Sophie: Pierre Lefèvre, le propriétaire du magasin d'antiquités où les dessins ont disparu, nous a avoué qui les a pris....

Vocabulaire

se taire (on se tait) to keep quiet (we keep quiet)

57. LES PLEURS

Quand Sophie dit qu'elle sait déjà qui est le voleur, Mariana Pinguet commence à pleurer de bon cœur !

Mariana Pinguet: Je l'admets ! J'avoue ! C'était moi !

Tous: QUOI ?!

Mariana Pinguet: Oui, j'ai volé les dessins. J'ai pris le manteau et le chapeau de Carlos pour ne pas être vue sur les caméras, et j'ai tout apporté au magasin de Pierre Lefèvre.

Alphonse Pinguet: Ma fille, de quoi tu parles ? Tu es la voleuse ?

Mariana Pinguet: Désolé, papa, je suis tellement gênée ! Je ne voulais pas causer tous ces problèmes.

Alphonse Pinguet: Mais pourquoi ?

Mariana Pinguet: Je vais tout vous dire…. Il y a plusieurs mois, toi et moi on a commencé à nous disputer au sujet de l'argent. Je voulais acheter plus de bandes dessinées pour ma collection, mais tu m'as dit que je dépensais trop. J'ai toujours acheté mes BD au marché aux grenouilles. J'y allais avec Andrea l'après-midi.

Sophie: C'est pour ça que les vendeurs du marché disent

qu'ils voient toujours Andrea, mais elle n'achète jamais rien.

Vocabulaire

un pleur a cry
pleurer to cry
de bon coeur heartily
admettre (j'admets) to admit (I admit)
gêné / gênée embarrassed
au sujet de about
c'est pour ça that's why

58. LA CONFESSION DE MARIANA

Mariana a avoué que c'est elle qui a pris les dessins de Monet de la maison. Elle explique à son père, à Alice, à Sophie, et à tout le monde dans la maison pourquoi elle l'a fait.

Andrea: Bien sûr, moi je l'emmène simplement là-bas ! Les antiquités ne m'intéressent pas. Elle va toujours acheter des bandes dessinées et je reste à proximité, à regarder les vieux trucs qu'ils y vendent.

Alice: Pas étonnant ! On avait peur qu'Andrea soit impliquée dans le vol.

Alice: Bien sûr que non ! Je ne volerais jamais mon patron. J'aime beaucoup mon travail....

Alphonse Pinguet: Continue, Mariana.

Mariana Pinguet: J'ai presque toujours acheté chez Pierre Lefèvre, mais il voulait me faire payer de plus en plus cher pour les bandes dessinées qu'il recevait. Quand je lui ai dit que mon père ne voulait plus me donner d'argent, il m'a dit que je pouvais lui apporter un objet précieux de chez moi....

Alice: Quoi ? Pierre Lefèvre t'a dit de voler ton père ?

expliquer (elle explique) to explain (she explains)
emmener (j'emmène) to bring (I bring)
un truc a thing
pas étonnant ! no wonder!
de plus en plus more and more

59. LE TROC

Mariana Pinguet explique que ce qui l'a amenée à voler les dessins de Monet, c'est qu'elle avait besoin de plus en plus d'argent pour payer les bandes dessinées pour sa collection. Quand son père a cessé de lui donner de l'argent, Pierre Lefèvre lui a dit qu'il pouvait lui apporter des objets de valeur de la maison.

Mariana Pinguet: Non ! Il ne m'a pas demandé de voler. Il m'a dit qu'il troquait souvent avec ses clients.

Sophie: Troquer ?

Mariana Pinguet: Oui, un troc, un échange. Il m'a dit qu'il me donnerait un de ses objets de valeur si je lui apportais quelque chose de valeur.

Alice: Alors tu as pris les dessins ?

Mariana Pinguet: Non, c'était beaucoup plus tard. D'abord, j'ai commencé par lui apporter de petits objets, des choses que j'ai trouvées dans la maison.

Alice: Comme quoi ?

Mariana Pinguet: Je ne sais pas, un livre de la bibliothèque, une horloge, une vieille salière....

Alice: Tu as pris la salière d'argent !

Mariana Pinguet: Désolé ! Je ne savais pas ce que

je faisais !

Vocabulaire

amener à to lead
cesser de to cease
de valeur valuable
troquer barter
un troc a barter

60. LITTLE NEMO

Mariana raconte comment elle a troqué plusieurs fois avec Pierre Lefèvre. Ensuite, un jour, une bande dessinée très précieuse arrive, et Mariana doit lui donner quelque chose de très précieux en retour.

Mariana Pinguet: Un jour, une bande dessinée très spéciale est arrivée au magasin....

Sophie: *Little Nemo in Slumberland.*

Mariana Pinguet: Exactement. Il s'agit d'une édition originale, en anglais, signée par l'auteur ! Je devais vraiment l'avoir. Pierre Lefèvre l'avait gardée spécialement pour moi.

Alphonse Pinguet: C'était quand tu m'as demandé de te donner 100 euros pour acheter une bande dessinée ?

Mariana Pinguet: Oui, mais, évidemment, tu ne m'as pas donné l'argent. J'étais très en colère. J'ai pensé que c'était très important d'avoir cette bande dessinée.

Alice: Alors, qu'est-ce qu'il s'est passé ?

Mariana Pinguet: J'ai apporté plusieurs choses au magasin, pour faire du troc, mais rien n'était suffisant pour M. Lefèvre. Il a dit que je devrais apporter quelque chose de plus précieux. Alors, j'ai pensé prendre quelque chose dans la collection d'art de mon père....

Vocabulaire

en retour in exchange
évidemment obviously
en colère angry
suffisant enough

61. MARIANA, REPENTANTE

Mariana raconte en détail comment elle a pris les œuvres de la collection d'art de son père.

Alphonse Pinguet: Je n'arrive pas à le croire !

Mariana Pinguet: Désolé, papa. Je suis vraiment désolée. Ce jour-là, dans la matinée, j'ai profité du départ d'Andrea. Puis tu es parti. J'ai pris ma clé dans la salle de la collection d'art et j'ai ouvert la porte. Puis j'ai pris les dessins parce que je savais qu'ils avaient de la valeur, mais je ne savais pas à quel point. J'ai même pensé que tu ne le remarquerais peut-être pas, vu que tu as tant de....

Alphonse Pinguet: Bien sûr que j'ai remarqué ! J'ai tout de suite remarqué. Ces dessins valent des centaines de milliers d'euros, c'est la chose la plus précieuse de ma collection !

Mariana Pinguet: Je le sais maintenant. Je ne savais pas qu'ils étaient si précieux.... Comme il ne s'agissait que de dessins, je pensais qu'ils ne coûteraient pas beaucoup plus cher qu'une vieille BD. Après avoir rapidement pris les trois œuvres, j'ai pris le manteau et le chapeau de Carlos pour que Daniel ne me voie pas dans les caméras de sécurité.

Vocabulaire

repentant / repentante remorseful
une matinée one morning (alternative word for "***un matin***")
profiter de take advantage of
à quel point to what extent
tant de so many
tout de suite right away
s'agir (il s'agissait) be (it was)

62. LA DEMANDE DE MARIANA À PIERRE LEFÈVRE

En plus de révéler comment le vol s'est produit, Mariana explique à Alice, Sophie et son père pourquoi Pierre Lefèvre n'a rien dit.

Mariana Pinguet: Puis j'ai tout apporté au magasin de Pierre Lefèvre. Il était ravi des dessins et m'a donné la bande dessinée de *Little Nemo* en retour.

Alice: Mariana, pourquoi est-ce que Pierre Lefèvre ne nous a pas dit que c'était toi ? D'abord il a dit que c'était un homme, puis une femme aux cheveux noirs et aux yeux verts, comme Andrea ! Pourquoi est-ce qu'il nous a menti ?

Mariana Pinguet: C'est ma faute aussi ! Après tout le scandale du vol, hier j'ai demandé à Andrea d'aller au marché aux grenouilles pour un moment. C'est là que j'ai supplié Pierre Lefèvre de ne rien dire.

Andrea: C'est vrai, on y est allées l'après-midi.

Sophie: Oui, on t'a vue là-bas.

Mariana Pinguet: Je t'ai vue aussi, dans une librairie d'art, parler à un homme avec un chapeau.

Alice: C'est toi qui nous espionnais dans le magasin !

Mariana Pinguet: Je voulais juste savoir si vous me soupçonniez, je suis désolée ! Je suis désolée, tout le monde !

Vocabulaire

une demande a request
se produire (il s'est produit) to occur (it has occurred)
ravi / ravie delighted
supplier to beg

63. LE PARDON

Alors que Mariana pleure le cœur brisé, Alphonse Pinguet assure à sa fille qu'elle n'a rien à craindre.

Alphonse Pinguet: Ma fille, ce n'est pas ta faute. Tu as fait une erreur…. Une grave erreur. Mais je sais que tu ne voulais pas me faire de mal. Tu ne savais pas ce que tu faisais. Ne pleure pas, s'il te plaît.

Alice: C'est vrai, Mariana. Maintenant, tout ce qui compte, c'est de trouver le deuxième voleur pour récupérer les tableaux.

Alphonse Pinguet: Et si on ne les récupère pas, je t'aimerai toujours.

Mariana Pinguet: Merci, papa. Je t'aime aussi, et je t'aimerai toujours. Tu me pardonneras, alors ?

Alphonse Pinguet: Bien sûr. Bien sûr que je te pardonne.

Alice: Eh bien, maintenant on doit enquêter sur qui a volé les dessins du magasin.

Alphonse Pinguet: Il y a quelque chose d'étrange chez ce monsieur, Pierre Lefèvre.

Alice: Il nous a menti, c'est vrai. Je pense qu'on devrait lui reparler.

Alphonse Pinguet: Oui, mais cette fois, je pense qu'il serait bien que vous alliez voir la police….

un cœur brisé a broken heart
craindre to be afraid
faire du mal to hurt
tout ce qui compte all that matters
récupérer to retrieve
pardonner to forgive
une fois once
il serait bien it would be nice

64. LA POLICE

Alphonse Pinguet donne à Alice et Sophie une carte avec un numéro de téléphone.

Alice: De qui est ce numéro de téléphone ?

Alphonse Pinguet: C'est le numéro de téléphone de l'inspecteur Gentil.

Alice: La policière qui enquête sur cette affaire ?

Alphonse Pinguet: Oui, c'est une policière. C'est l'officier de police en charge de l'affaire du vol de mes dessins.

Alice: On devrait l'appeler.

Alphonse Pinguet: Oui, je pense que vous devriez l'appeler. Je pense que vous pourriez bien travailler toutes les trois ensemble.

Sophie: Je pense que c'est une excellente idée !

Alphonse Pinguet: Avec l'inspecteur Gentil, vous pouvez interroger Pierre Lefèvre à nouveau. Vous pouvez lui demander pourquoi il n'a pas dit la vérité. Je pense que si vous allez voir la police, il dira la vérité.

Vocabulaire

une carte a map
en charge de in charge of
un policier / une policière a police officer
une vérité a truth

65. L'APPEL TÉLÉPHONIQUE

Alice et Sophie appellent l'inspecteur Gentil au téléphone pour enquêter sur le vol des dessins de Monet ensemble.

Inspecteur Gentil: Allo ?

Sophie: Bonjour, inspecteur Gentil. Vous vous souvenez de moi ? Je m'appelle Sophie.

Inspecteur Gentil: Ah, Sophie ! Je suppose que vous êtes avec Alice, pour enquêter sur le vol des dessins de Monet.

Sophie: Oui ! Comment est-ce que vous le savez ?

Inspecteur Gentil: Mon travail est de savoir ces choses là ! J'enquête sur tout ce qui concerne l'affaire du vol des dessins de Monet. Je sais que vous enquêtez aussi.

Sophie: Oui, nous avons fait quelques recherches…. On ne veut pas interférer avec la police, bien sûr.

Inspecteur Gentil: Non, pas de problème. Quelle est la raison de votre appel ?

Sophie: Si possible, inspecteur, on aimerait vous rencontrer. On croit qu'on pourrait vous aider avec ce qu'on sait et on croit que vous pourriez aussi nous aider à faire avancer l'enquête.

supposer (je suppose) to assume (I assume)
faire avancer to move forward

66. LA RENCONTRE DANS LE PARC

Alice et Sophie rencontrent le détective Gentil sur la place des Vosges, à Paris, près de la maison de Victor Hugo. L'inspecteur Gentil est une femme d'une quarantaine d'années. Elle est grande, brune et aux yeux noirs. Elle porte des lunettes rouges.

Inspecteur Gentil: Bonjour les filles.

Sophie: Bonjour, inspecteur. C'est un plaisir.

Inspecteur Gentil: Le plaisir est pour moi ! Dites-moi, les filles, qu'est-ce que vous avez découvert jusqu'ici ?

Alice: Ce qu'on sait, c'est que Mariana, la fille d'Alphonse Pinguet, a une collection de bandes dessinées qui est très importante pour elle. Normalement, elle achète ses bandes dessinées au marché aux grenouilles. Il y a quelque temps, elle les achetait au magasin de M. Pierre Lefèvre. Depuis que son père a cessé de lui donner de l'argent pour acheter des BD, elle a commencé à voler des objets de la maison et à les échanger contre des BD dans le magasin.

Inspecteur Gentil: Pierre Lefèvre a demandé à la fille de voler ?

Alice: Mariana dit que non. Qu'il lui a seulement dit qu'ils pouvaient faire du troc, mais qu'il ne lui a pas spécifiquement dit de voler.

une place a square
une quarantaine about forty
rouge red
il y a quelque temps some time ago
contre against

67. LE PLAN AVEC L'INSPECTEUR GENTIL

Les filles disent à l'inspecteur Gentil tout ce qu'elles savent sur l'affaire du vol des dessins de Monet jusqu'ici.

Inspecteur Gentil: Qu'est-ce que vous savez sur le deuxième vol ?

Alice: Pas grand-chose. On sait que lorsqu'on a vu les œuvres et qu'on les a reconnues, M. Pierre Lefèvre a appelé un de ses amis... un expert en art pour venir les voir le lendemain.

Inspecteur Gentil: Et après ?

Alice: Puis, ce soir-là, quelqu'un a cassé les vitrines du magasin et volé les dessins.

Alice: Ce n'était pas vous, n'est-ce pas ?

Sophie: Hahahaha.

Alice: Non, non, bien sûr que non.

Inspecteur Gentil: Je devais vous le demander. C'est mon travail.

Sophie: On veut juste que ces œuvres retournent dans la collection de M. Pinguet, où elles seront bien conservées.

Inspecteur Gentil: Je vois. Faisons un plan.

Alice: Okay, qu'est-ce qu'on doit faire ?

Inspecteur Gentil: On va encore une fois visiter la boutique de Pierre Lefèvre. Il y a un indice qui nous manque....

Vocabulaire

conserver (elles seront conservées) to preserve (they will be preserved)
un indice a clue

68. L'INTERROGATOIRE

Sophie, Alice et l'inspecteur Gentil vont parler à Pierre Lefèvre dans son magasin. L'inspecteur Gentil montre, sur son portable, une photo de Mariana Pinguet.

Inspecteur Gentil: Regardez cette photo, M. Lefèvre. Vous reconnaissez cette fille ?

Pierre Lefèvre: Oui, oui, je la reconnais.

Inspecteur Gentil: Vous connaissez son nom ?

Pierre Lefèvre: Oui, c'est la fille du manoir Pinguet… Mariana.

Inspecteur Gentil: Bien. Comment est-ce que vous la connaissez ?

Pierre Lefèvre: Elle vient souvent au magasin pour acheter des BD.

Inspecteur Gentil: M. Lefèvre, est-ce que cette fille vous a apporté les dessins de Monet ?

Pierre Lefèvre: Oui, oui, oui, c'était elle.

Inspecteur Gentil: Pourquoi ne pas l'avoir dit avant ?

Pierre Lefèvre: Je sais que c'est mal de mentir, vraiment. Mais elle m'a supplié de ne rien dire. Ce n'est qu'une enfant. Je ne pouvais pas la trahir comme ça. Elle vient acheter des BD depuis des années. C'est une de mes meilleures clientes. Elle a confiance en moi. Elle m'a demandé de ne pas vous dire qui a apporté les dessins. J'ai décidé de garder le secret pour elle.

Détective Gentil : Vous saviez que les choses qu'elle vous apportait étaient volées ?

Pierre Lefèvre: Bien sûr que non ! Je n'en avais aucune idée.

Vocabulaire

un interrogatoire an interrogation
un portable a mobile phone
trahir to betray
depuis des années for years
meilleur / meilleure better
n'en avoir aucune idée (je n'en avais aucune idée) to have no idea (I had no idea)

69. UN NOUVEAU SUSPECT

L'inspecteur Gentil, Alice et Sophie continuent de poser des questions à Pierre Lefèvre pour trouver le deuxième voleur.

Inspecteur Gentil: M. Lefèvre, qui savait que les dessins de Monet étaient ici ? Vous l'avez dit à quelqu'un ?

Pierre Lefèvre: Mmm... laissez-moi réfléchir. Eh bien, à part moi, elles le savaient toutes les deux. Je ne pense pas que quelqu'un d'autre....

Sophie: Et votre ami ?

Pierre Lefèvre: Quel ami ?

Sophie: Le spécialiste de l'art français.

Inspecteur Gentil: De qui est-ce que vous parlez ?

Sophie: Quand nous avons reconnu les dessins, M. Lefèvre a appelé un ami, un spécialiste en art, pour confirmer qu'il s'agissait des dessins originaux de Monet. Il allait venir le lendemain.

Inspecteur Gentil: Qui est cet homme, M. Lefèvre ?

Pierre Lefèvre: Il s'appelle Claude Demarret.

Inspecteur Gentil: On peut lui parler ?

laissez-moi réfléchir let me think
toutes les deux both of them

70. LA RECHERCHE DE CLAUDE DEMARRET

Pierre Lefèvre donne des informations sur Claude Demarret à l'Inspecteur Gentil: son adresse et son numéro de téléphone. Puis elles sortent toutes les trois du magasin.

Alice: Qu'est-ce que vous en pensez, inspecteur Gentil ?

Inspecteur Gentil: Je pense qu'on devrait parler à Claude Demarret. C'est peut-être la personne qu'on cherche. On va essayer de l'appeler chez lui…. Je vais le faire tout de suite.

Sophie: Personne ne répond au téléphone ?

Inspecteur Gentil: Non. Ça sonne occupé, personne ne répond.

Sophie: On essaie le portable ?

Inspecteur Gentil: Oui, je vais appeler sur le portable maintenant.

Alice: Est-ce que ça marche ?

Inspecteur Gentil: Non. On dirait que son portable est éteint.

Sophie: C'est suspect.

Sophie: Oui, c'est bizarre.

Alice: On va chez lui pour lui parler ?

Inspecteur Gentil: Oui ! Vous voulez venir avec moi ?

Alice: Bien sûr, allons-y !

Sophie: Allons-y !

Vocabulaire

essayer to try
ça sonne occupé the line's busy/engaged
sonner to ring
éteindre (il est éteint) to turn off (it is turned off)

71. LE DERNIER EMPLACEMENT

L'inspecteur Gentil emmène Sophie et Alice à l'adresse que leur a donnée Pierre Lefèvre. Elles sonnent, mais personne ne sort. Pendant ce temps, l'inspecteur Gentil parle à ses collègues policiers pour vérifier l'adresse et les numéros de téléphone de l'homme.

Inspecteur Gentil: En effet, c'est l'adresse de Claude Demarret, docteur en histoire de l'art, spécialisé dans l'art français.

Alice: C'est bizarre, n'est-ce pas ? Il ne répond pas au téléphone, il n'y a personne à la maison et son portable est éteint.

Inspecteur Gentil: Oui, c'est bizarre. J'ai demandé à mes collègues d'essayer de trouver l'emplacement de son téléphone portable.

Sophie: Ils peuvent faire ça ?

Inspecteur Gentil: Oui, ils peuvent localiser votre téléphone si vous avez activé le GPS récemment. Ils l'ont trouvé ! Il semble que la dernière localisation du portable a été détectée à Lille il y a quelques heures.

Alice: Lille ? C'est à environ deux heures d'ici…. Qu'est-ce qu'il fait là-bas ?

Sophie: Je crois savoir ce qu'il peut faire là-bas....

Inspecteur Gentil: Quoi ?

Sophie: Aujourd'hui commence une foire d'art très importante à Lille. Il y a des collectionneurs d'art du monde entier.

Alice: Alors....

Inspecteur Gentil: Alors s'il a les dessins de Monet, il peut les vendre là-bas....

Vocabulaire

un emplacement a location
récemment recently
une foire a fair
un collectionneur a collector

72. LE VOYAGE À LILLE

Alice, Sophie et l'inspecteur Gentil soupçonnent Claude Demarret, qui semble être à Lille.

Inspecteur Gentil: Eh bien, les filles. La prochaine étape consiste à se rendre à Lille. On doit empêcher que ces dessins ne soient vendus sur le marché noir.

Alice: En plus.... Lille est très proche de la frontière avec la Belgique.

Sophie: Oui, si les œuvres sont vendues, elles pourraient quitter le pays très rapidement.

Inspecteur Gentil: Exactement. Nous devons partir le plus vite possible. Je comprendrais si vous préféreriez rester ici pour profiter de vos vacances.

Alice: Vous plaisantez, inspecteur Gentil ? On ne raterait ça pour rien au monde !

Inspecteur Gentil: Hahaha. Alors, montez dans la voiture, parce qu'on s'en va tout de suite !

Sophie: C'est de la folie !

Inspecteur Gentil: Si tu veux rester, je comprends....

Sophie: Bien sûr que non ! C'est dingue... mais je veux en faire partie.

Inspecteur Gentil: Eh bien, c'est parti.

Vocabulaire

empêcher to prevent
proche close
une frontière a border
la Belgique Belgium
un pays a country
plaisanter (vous plaisantez) to kid, to joke (you're kidding)
rater (on raterait) miss (we would miss)
pour rien au monde not for anything in the world
monter (montez) to get in (get in)
une voiture a car
c'est de la folie ! this is insane!
c'est dingue ! this is crazy!

73. LA FOIRE D'ART DE LILLE

L'inspecteur Gentil, Alice et Sophie se rendent dans la ville de Lille dans la voiture de l'inspecteur Gentil. La Foire d'Art de Lille est pleine de visiteurs, de collectionneurs et d'artistes. Il y a des centaines de personnes.

Alice: Comment est-ce qu'on va trouver cet homme parmi tous ces gens ?

Inspecteur Gentil: J'ai une photo de lui ! Elle m'a été envoyé du commissariat. Regardez !

Sophie: C'est un homme plus âgé. Il doit avoir soixante ans.

Inspecteur Gentil: Soixante-deux ans, d'après le rapport qui m'a été envoyé.

Alice: Ses cheveux sont gris, assez longs. Et il porte des lunettes avec une monture en or.

Sophie: Ce ne sera pas trop difficile à trouver.

Inspecteur Gentil: On peut se séparer. Sophie, tu prends à droite. Alice, tu vas à gauche. Je vais descendre l'allée centrale.

Alice: Parfait.

Sophie: Allez !

Vocabulaire

un commissariat a police station
plus âgé older
d'après according to
gris grey
assez quite
une monture a frame
descendre to go down
allez ! come on!

74. LA POURSUITE

L'inspecteur Gentil, Alice et Sophie se sont séparées pour chercher Claude Demarret à la Foire d'Art de Lille.

Sophie: Alice, Alice ! Je l'ai vu ! Il porte une mallette. Je crois qu'il est parti par là !

Inspecteur Gentil: Tu as vu quelque chose ?

Alice: Oui, Sophie dit qu'elle pense l'avoir vu là-bas. Il a une mallette !

Inspecteur Gentil: Parfait, on va par là.

Sophie: Regarde ! Le voilà. Il est là.

Alice: Je ne le vois pas. C'est lequel ?

Sophie: C'est l'homme au costume violet.

Inspecteur Gentil: Le voilà, en train de grimper les escaliers.

Alice: Je l'ai vu. Comment on l'arrête ?

Inspecteur Gentil: Alice, tu vas par là. Je prends les escaliers. Sophie, tu restes ici, au cas où il descendrait.

Sophie: D'accord !

Vocabulaire

une poursuite a chase
porter to carry
une mallette a briefcase
par là this way
c'est lequel ? which one is it?
grimper to climb up
les escaliers (m. pl.) stairs
arrêter to stop

75. CLAUDE DEMARRET

L'inspecteur Gentil et Alice courent vers l'homme, chacun à un bout du couloir différent. Lorsqu'elles l'atteignent finalement en courant, l'homme a peur et lâche sa mallette, qui s'ouvre. À l'intérieur de la mallette, il y a....

Alice: Une banane ?

Inspecteur Gentil: Qu'est-ce que c'est que ça ?

Claude Demarret: Vous êtes qui ? Qu'est-ce que vous voulez ? Oui, c'est mon en-cas. Quel est le problème ?

Inspecteur Gentil: Je suis désolée, M. Demarret. Je suis l'inspecteur Gentil. On peut vous parler ?

Claude Demarret: Oui, bien sûr, tout est en ordre ?

Inspecteur Gentil: C'est ce qu'on va voir....

Claude Demarret: Qu'est-ce qu'il se passe ?

Inspecteur Gentil: On essaie de vous contacter depuis ce matin. On est allées chez vous, on vous a appelé, mais on n'a pas eu de réponse.

Claude Demarret: Eh bien, oui, je ne suis évidemment pas à la maison. Je suis ici en vacances.... Et pour le portable, je n'ai plus de batterie depuis quelques heures. Ça vous pose un problème ?

Inspecteur Gentil: Bien sûr que non. Vous connaissez Pierre Lefèvre ?

Vocabulaire

chacun each
un bout an end
un couloir a corridor
lorsque when
atteindre (ils atteignent) to reach (they reach)
avoir peur (il a peur) to be scared (he is scared)
lâcher (il lâche) to drop (he drops)
qu'est-ce que c'est que ça ? what is that?
un en-cas a snack

ça vous pose un problème ? is that a problem for you?

76. L'HISTOIRE DE CLAUDE

Claude Demarret, à la Foire d'Art de Lille, répond aux questions de l'inspecteur Gentil, Alice et Sophie.

Claude Demarret: Oui, je connais Pierre Lefèvre. Ce n'est pas un ami proche, mais je sais qui c'est. C'est ce type qui vend des trucs volés au magasin du marché aux grenouilles, c'est ça ? Qu'est-ce qu'il se passe avec lui ?

Inspecteur Gentil: Vous lui avez parlé récemment ?

Claude Demarret: Eh bien, non. Je ne lui ai plus parlé depuis plus d'un an. Pourquoi ?

Inspecteur Gentil: Pierre Lefèvre ne vous a pas appelé samedi dernier pour vous rencontrer dans son magasin pour des dessins de Monet ?

Claude Demarret: Hahahaha. Bien sûr que non ! S'il y avait des dessins de Monet au marché aux grenouilles, je ne serais pas ici…. Je serais au marché aux grenouilles.

Inspecteur Gentil: Il a dit qu'il vous a appelé pour vous demander de confirmer l'authenticité des dessins.

Claude Demarret: Bien sûr que non. Il n'a jamais fait ça.

Alice: Mais il vous a appelé devant nous.

Claude Demarret: Eh bien, ce menteur a dû faire semblant. Personne ne m'a appelé.

Vocabulaire

un type a guy
c'est ça ? right?
un menteur a liar
faire semblant to pretend

77. L'APPEL INEXISTANT

L'inspecteur Gentil contacte le commissariat de la police de Paris pour confirmer si Pierre Lefèvre a passé des appels à Claude Demarret le jour du vol.

Inspecteur Gentil: On dirait que Pierre Lefèvre n'a passé aucun appel !

Sophie: Vraiment ?

Inspecteur Gentil: Oui, c'est ce qu'on me dit au commissariat de Paris. Ils ont tracé les appels et il n'y a eu aucun appel du téléphone de Pierre Lefèvre ce jour-là.

Claude Demarret: C'est exactement ce que je vous ai dit. Personne ne m'a appelé.

Inspecteur Gentil: Depuis combien de temps est-ce que vous connaissez Pierre Lefèvre ?

Claude Demarret: Je le connais depuis quelques années. Parfois, j'allais à son magasin, au marché aux grenouilles, pour voir des antiquités....

Inspecteur Gentil: Mais vous n'êtes pas amis ?

Claude Demarret: Non, bien sûr que non. C'est juste un homme à qui j'achetais parfois des objets. Mais, comme je l'ai dit, je ne lui ai pas parlé depuis plus d'un an....

Inspecteur Gentil: Pourquoi ?

Claude Demarret: Eh bien, je n'aimais vraiment pas beaucoup ses affaires.

Inspecteur Gentil: Pourquoi pas ?

Claude Demarret: Parce qu'il avait beaucoup d'objets volés !

Vocabulaire

tracer un appel (ils ont tracé les appels) to trace a call (they traced the calls)
parfois sometimes
les affaires business

78. LA TROMPERIE

L'inspecteur Gentil finit d'interroger Claude Demarret et, après avoir vérifié ses bagages, le laisse partir. Ensuite, elle parle à Alice et Sophie de ce qu'il reste à faire.

Inspecteur Gentil: Vous en pensez quoi, les filles ?

Alice: Je pense qu'il est évident que Claude Demarret n'a rien à voir avec tout ça. On s'est fait avoir !

Sophie: Oui, on s'est fait avoir par Pierre Lefèvre, et ce n'est pas la première fois qu'il nous ment ! Je suis sûr que il savait que Claude Demarret venait à cette foire chaque année. Il s'en est servi pour nous éloigner de la ville.

Alice: Vous pensez qu'il est possible d'arrêter Pierre Lefèvre, inspecteur Gentil ?

Inspecteur Gentil: Nous n'avons pas encore de preuves. Bien qu'il semble nous avoir menti, on ne peut pas l'arrêter juste pour ça. On doit le prendre la main dans le sac. On doit trouver les dessins de Monet.

Alice: Mais s'il est en train de s'échapper en ce moment, profitant du fait qu'on est ici, à Lille ?

Inspecteur Gentil: Je vais appeler la police de Paris tout de suite pour le surveiller. Ils s'assureront qu'il ne s'échappe pas. S'il essaie de s'enfuir avec les dessins, on l'arrête.

Sophie: On y va, alors ?

Inspecteur Gentil: Allez !

Vocabulaire

une tromperie a deception
un bagage a piece of luggage
laisser to let
ce qu'il reste à faire what remains to be done
se faire avoir (on s'est fait avoir) to be fooled (we have been fooled)
se servir de to make use of
éloigner to drive away
une preuve a piece of evidence
prendre quelqu'un la main dans le sac to catch somebody red-handed
profiter du fait que to take advantage of the fact that
s'échapper to escape
surveiller to keep an eye on
s'assurer (ils s'assureront) to make sure (they will make sure)
on y va ? shall we go?

79. LE VOYAGE DE RETOUR

Sur le chemin du retour vers Paris, l'inspecteur Gentil demande à Sophie des détails sur les œuvres.

Inspecteur Gentil: Au cas où on trouverait Pierre Lefèvre avec les dessins de Monet, on doit nous assurer que ce sont vraiment ceux qu'on recherche. Vous pouvez me décrire les dessins ?

Sophie: Bien sûr. Il y a trois dessins.

Inspecteur Gentil: Ils sont grands ?

Sophie: Ils ne sont pas vraiment très grands. Ils peuvent être rangés dans une mallette sans aucun problème.

Inspecteur Gentil: D'accord, quoi d'autre ?

Sophie: Le papier est très vieux. Il n'est pas blanc, mais jaunâtre.

Inspecteur Gentil: Super, qu'est-ce qui est représenté sur les dessins ?

Sophie: Un des dessins montre le dieu du vin, Bacchus.

Inspecteur Gentil: Le dieu du vin ?

Sophie: Oui, c'est un ancien dieu romain. Il apparaît toujours avec un verre de vin à la main et des raisins sur la tête.

Inspecteur Gentil: Et les deux autres dessins ?

Sophie: Un autre dessin montre deux jeunes filles se tenant la main. Elles portent de longues robes. L'une des filles a les cheveux en l'air, l'autre a les cheveux longs et lâchés.

Inspecteur Gentil: Excellent, et le troisième dessin ?

Sophie: Le troisième dessin est celui d'un monstre : un homme aux ailes de chauve-souris et aux pattes de chèvre.

Inspecteur Gentil: Génial !

Vocabulaire

un chemin a way
vers towards
au cas où just in case
ranger (ils peuvent être rangés) to put (they can be put)
jaunâtre yellowish
un dieu a god
un vin a wine
un verre a glass
une main a hand
un raisin a grape
une robe a dress
les cheveux en l'air hair up
les cheveux lâchés hair down
une aile a wing
une chauve-souris a bat
une patte a leg
une chèvre a goat

80. LE VOL

Après quelques heures, Alice, Sophie et l'inspecteur Gentil arrivent à Paris. Il est tôt le matin. Le soleil se lève et les rues commencent à se remplir de Parisiens qui vont travailler. Elles vont directement au magasin de Pierre Lefèvre.

Inspecteur Gentil: Cette voiture de police vérifie que Pierre Lefèvre ne s'enfuit pas. Demandons à mes collègues s'ils ont vu quelque chose d'étrange.

Alice: Okay !

Inspecteur Gentil: Bonjour, Adrien. Voici Alice et Sophie. Elles collaborent à l'enquête. Comment ça va ? Tu l'as vu ?

Claude Demarret: Bonjour, inspecteur. Bonjour, les filles. Lefèvre a une maison au-dessus du magasin. Il est là-dedans depuis hier soir. Il a éteint les lumières il y a quelques heures. On attend un peu de mouvement.

Sophie: Regardez ! Il quitte la maison.

Inspecteur Gentil: Il a une mallette. M. Lefèvre, arrêtez-vous tout de suite !

Alice: Il s'enfuit ! Il faut l'attraper !

Inspecteur Gentil: Allume les sirènes de la voiture et poursuis-le, Adrien.

Agent Adrien Gallo: Il est parti dans cette ruelle étroite.

La voiture ne passera pas par là.

Inspecteur Gentil: Poursuivons-le à pied !

Vocabulaire

se lever (il se lève) to rise (it is rising)
une rue a street
se remplir to fill up
au-dessus de above
là-dedans in there
une lumière a light
allumer (allume) to turn on (turn on)
une sirène a siren
étroit / étroite narrow
à pied on foot

81. LA POURSUITE

Sophie, Alice et l'inspecteur Gentil courent après Pierre Lefèvre, car la voiture de police n'entre pas dans l'allée où il est parti.

Alice: Cette ruelle est très sombre !

Sophie: Je ne vois rien. Tu crois qu'il se cache par ici ?

Alice: Je l'entends respirer quelque part.

Inspecteur Gentil: Attendez. Je vais allumer ma lampe de poche.

Alice: C'est beaucoup mieux ! Là, derrière ces poubelles, quelque chose bouge !

Inspecteur Gentil: Silence ! Je vais vous m'approcher en silence...

Chat : MIAAAAOUUUUU !

Alice et Sophie: AAAAAHHHHHHHHHH !

Inspecteur Gentil: Relax, c'était juste un chaton ! Mais où est passé cet homme ?

Alice: Il est parti, il est sorti de l'autre côté !

Inspecteur Gentil: Allez !

Sophie: Il court vite !

Alice: Il a tourné à gauche.

Inspecteur Gentil: Ces rues sont très tordues, il a essayé de nous semer. Séparons-nous, comme avant. Sophie, tu prends à droite. Alice, tu vas à gauche. J'irai directement vers lui. Je ne pense pas qu'il soit dangereux, mais s'il a une arme, vous devrez vous coucher à terre.

Alice: Une arme ?! Mais c'est juste un vieux voleur….

Inspecteur Gentil: Alice, tu ne sais pas ce que les gens sont capables de faire pour de l'argent !

Vocabulaire

sombre dark
respirer to breathe
une lampe de poche a flashlight
une poubelle a dustbin
bouger (il bouge) to move (it is moving)
un chaton a kitten
tourner (il a tourné) to turn (he has turned)
tordu / tordue twisted
semer to lose
se coucher to lie down
à terre on the ground

82. LES BICYCLETTES

Elle courent toutes les trois dans des directions différentes. Dans le silence du petit matin, on peut entendre les pas de Pierre Lefèvre non loin de là. Cependant, une minute plus tard, les trois se font face de l'autre côté du carrefour.

Sophie: Mince ! Il est passé où ?

Alice: Le voilà. Il a appelé un taxi. Regardez !

Inspecteur Gentil: Oui, c'est lui. S'il monte dans cette voiture, on n'aura aucune chance de l'attraper.

Sophie: A moins qu'on ne le suive avec nos propres véhicules.

Inspecteur Gentil: Mais la voiture de police n'est pas là. On va le perdre de vue.

Sophie: Non, je veux dire ces véhicules.

Alice: Les vélos municipaux ! Bien sûr !

Inspecteur Gentil: Vous avez vos cartes sur vous ?

Alice et Sophie: Toujours !

Inspecteur Gentil: Allez, on y va alors !

Alice: Comme c'est amusant ! J'ai l'impression d'être dans un de mes romans....

Sophie: Comme c'est terrifiant ! J'ai l'impression d'être dans l'un de tes romans....

Inspecteur Gentil: Les filles, ce sont des vélos électriques, si on veut l'atteindre on devra augmenter l'intensité au maximum, vous êtes prêtes ?

Alice: Oui !

Sophie: Non !

Inspecteur Gentil: C'est parti !

Vocabulaire

le petit matin in the early morning
un pas a step
se faire face (elles se font face) to face each other (they are facing each other)
un carrefour a crossroads
mince ! damn it!
perdre de vue to lose sight of
un roman a novel
un vélo a bicycle
augmenter to increase
prêt / prête ready

83. LA CHUTE

Toutes les trois mettent l'assistance électrique des vélos au maximum, afin de rester derrière la voiture et l'atteignent en quelques secondes. L'inspecteur Gentil est la première. Quand elle est sur le point de l'atteindre, Pierre Lefèvre ouvre la porte du taxi et l'inspecteur Gentil la frappe durement. Elle tombe au milieu de la rue, à côté de son vélo. Les filles s'arrêtent.

Inspecteur Gentil: Qu'est-ce que vous faites ? Continuez !

Sophie: Mais est-ce que ça va ?

Inspecteur Gentil: Ouais, ouais, c'est juste une égratignure, continuez !

Alice: Okay !

Sophie: Il s'est arrêté au feu ! Allons-y.

Inspecteur Gentil: Attention aux portes de la voiture, gardez vos distances.

Pierre Lefèvre: Ne t'approche pas ! Je ne te donnerai rien.

Alice: Arrêtez cette folie, monsieur. La police vous arrêtera de toute façon.

Pierre Lefèvre: Bien sûr que non.

Sophie: Le feu est déjà vert, il s'éloigne !

Alice: Et même si on arrive à le rattraper, qu'est-ce qu'on fait ? On doit trouver un plan.

Vocabulaire

être sur le point de to be on the verge of
frapper to hit
durement severely
au milieu de in the middle of
à côté de next to
s'arrêter (elles s'arrêtent) to stop (they stop)
une égratignure a scratch
un feu (de signalisation) a (traffic) light
attention à to pay attention to
la folie madness
de toute façon anyhow
arriver à to manage to
rattraper to catch up

84. LE PLAN

Pendant qu'elles pédalent derrière le taxi, les filles élaborent un plan simple pour récupérer la mallette. Il y a de plus en plus de voitures dans les rues.

Alice: La fenêtre de gauche est ouverte. On peut passer par là.

Sophie: Tu penses qu'il y a assez de place pour prendre la mallette par là ?

Alice: Non, non, on va juste venir lui parler. L'une de nous va le faire. L'autre doit s'approcher de l'autre côté, de la droite. Après avoir ouvert la porte pour frapper l'inspecteur Gentil, je ne pense pas qu'il l'ait verrouillée.

Sophie: Et une fois la porte ouverte, qu'est-ce qu'on fait ?

Alice: Une fois la porte ouverte, on se faufile dans la voiture et on prend la mallette sans se faire remarquer !

Sophie: Quoi ?! Si tu fais ça, je refuse de mettre un doigt dans cette voiture avec ce maniaque dedans !

Alice: Alors, tu devras être la distraction.

Sophie: D'accord. Voyons ce que je peux inventer....

Vocabulaire

une fenêtre a window
une place space
verrouiller (qu'il ait verrouillé) to lock (that he has locked)
se faufiler (on se faufile) to sneak in (we sneak in)
un doigt a finger
dedans inside

85. LA DISTRACTION

La voiture arrive à la Concorde, où elle doit s'arrêter à un feu rouge. Les filles profitent de l'occasion. Sophie s'approche en premier par la porte gauche, dont la fenêtre est abaissée.

Pierre Lefèvre: Va-t'en ! Tu ne veux pas que je te blesse….

Chauffeur de taxi: C'est vrai, tu dois garder tes distances avec la voiture, si tu ne veux pas avoir un accident.

Pierre Lefèvre: Tais-toi !

Chauffeur de taxi: Quelle impolitesse !

Sophie: M. Lefèvre, vous devez rendre cette mallette. Vous savez que tôt ou tard, vous vous ferez prendre.

Pierre Lefèvre: Pourquoi ? Je n'ai rien fait du tout. Cette mallette m'appartient.

Sophie: Je ne parle pas de la mallette, je parle de ce qu'il y a dedans !

Pierre Lefèvre: Ce qu'il y a à l'intérieur, je l'ai légalement. La petite fille l'a apporté à mon magasin et je l'ai échangé contre une bande dessinée très précieuse qui a cent ans. Après avoir fait une bonne affaire, pourquoi est-ce que je devrais rembourser mes bénéfices ?

Chauffeur de taxi: Et qu'est-ce que fait l'autre à la porte ?

Pierre Lefèvre: Eh ! Qu'est-ce qui se passe ici ?

Vocabulaire

la Concorde la Concorde (a famous square in Paris)
profiter de l'occasion (elles profitent de l'occasion) take advantage of the opportunity (they take advantage of the opportunity)
abaisser (elle est abaissée) to lower (it is lowered)
va-t'en ! go away!
blesser (je blesse) to hurt (I hurt)
un chauffeur de taxi a taxi driver
tais-toi ! Shut up!
quelle impolitesse ! how rude!
une impolitesse a rudeness
tôt ou tard sooner or later
se faire prendre (vous vous ferez prendre) to get caught (you will get caught)
du tout at all
appartenir to belong to
faire une bonne affaire make a good deal

86. LA DISCUSSION

Pendant que Pierre Lefèvre parle à Sophie, Alice commence lentement à se glisser par la porte de droite, jusqu'à ce que le chauffeur de taxi la voit. Ensuite, Pierre Lefèvre s'accroche à la mallette et pousse Alice hors de la voiture.

Pierre Lefèvre: Les filles, comprenez-le, je ne rendrais pas ces dessins ! Ils sont à moi, à moi !

Alice: Ces dessins appartiennent à Alphonse Pinguet et vous le savez.

Pierre Lefèvre: Bien sûr que non ! C'était un échange juste et une bonne affaire, je l'ai saisie. Je ne savais même pas que ces dessins étaient ceux de Monet. Vous le savez bien. Ils auraient pu appartenir à n'importe qui d'autre, Ils auraient pu être sans valeur. C'est mon instinct de commerçant qui m'a amené à faire une bonne affaire, et maintenant vous voulez me l'enlever !

Sophie: Bien sûr que non ! Vous êtes un menteur. Vous saviez qu'il y avait des objets de valeur dans cette maison et vous avez convaincu une fille innocente de voler son père.

Vocabulaire

lentement slowly
se glisser (elle se glisse) sneak in (she sneaks in)
s'accrocher (il s'accroche) to cling (he's clinging)
pousser (il pousse) to push (he pushes)
hors de out of
rendre (je rendrais) to return (I will return)
juste fair
saisir (je l'ai saisi) to seize (I have seized it)
n'importe qui d'autre anyone else
un commerçant a merchant
enlever to remove

87. L'ARME !

Pierre Lefèvre est rouge de colère. Il est de plus en plus en rage. Il se tient au milieu de la Concorde, face aux filles. Les voitures passent de chaque côté.

Pierre Lefèvre: Je ne lui ai jamais dit de voler !

Sophie: Vous saviez parfaitement que la fille volait. Sinon, pourquoi est-ce qu'elle serait venue dans votre magasin avec des objets, mais sans argent ? De plus, vous l'avez manipulée pour vous apporter de plus en plus de choses de valeur.

Pierre Lefèvre: Tu es folle. Je ne ferais jamais ça ! Je n'ai manipulé personne. Je ne suis qu'un homme d'affaires. Je suis antiquaire. Ce sont des antiquités, et elles sont à moi !

Alice: Non ! Elles sont à Alphonse Pinguet, et vous allez les rendre à son propriétaire !

Pierre Lefèvre: Ah oui ? Eh bien, je ne crois pas !

Sophie: Attention, Alice, il sort une arme !

Alice: Mon Dieu, l'inspecteur Gentil avait raison ! Il est armé !

Sophie: Monsieur, posez cette arme ! Ne faites pas de bêtises.

Pierre Lefèvre: ALORS, PARTEZ IMMÉDIATEMENT VOUS EN AVEZ FAIT

SUFFISAMMENT !

Chauffeur de taxi: Non, moi j'en ai assez !

Vocabulaire

rouge de colère red with anger
se tenir (il se tient) to stand (he's standing)
un homme d'affaires a businessman
un antiquaire an antique dealer
sortir une arme (il sort une arme) to take out a weapon (he takes out a weapon)
poser (posez) to place (place)
ne faites pas de bêtises ! don't do anything stupid!
une bêtise something stupid, a foolishness
en avoir fait suffisamment (vous en avez fait suffisamment) to have done enough (you have done enough)
j'en ai assez ! I've had enough!

88. THIERRY

Le chauffeur de taxi, voyant Pierre Lefèvre sortir une arme et la pointer vers les filles, a attrapé une petite batte de baseball dans sa voiture et s'est approché lentement derrière l'homme. Voyant qu'il était sur le point de tirer, il le frappe à la tête de toutes ses forces. Pierre Lefèvre tombe inconscient au sol.

Chauffeur de taxi: Et ne t'évanouis pas longtemps, tu me dois sept euros et trente cents !

Alice: Merci, monsieur ! Vous nous avez sauvées, je pensais qu'il allait vraiment nous tuer.

Sophie: Vous avez toujours une batte de baseball dans votre voiture ?

Chauffeur de taxi: Hahaha, non ! C'est à mon fils. Il a un entraînement de baseball cet après-midi. C'était un coup de chance !

Inspecteur Gentil: Vous allez bien, qu'est-ce qu'il s'est passé ?

Alice: Il est sorti de la voiture et nous a interpellées. Il était très en colère. En un instant, il a sorti une arme ! Puis ce brave homme s'est approché par derrière et l'a assommé d'un seul coup !

Inspecteur Gentil: Merci beaucoup, monsieur. Quel est votre nom ?

Chauffeur de taxi: Je m'appelle Thierry. Qu'est-ce qu'il y a dans cette mallette qui vous inquiète tant ?

Vocabulaire

pointer to point
tirer to shoot
de toutes ses forces with all his might
tomber au sol (il tombe au sol) to fall to the ground (he falls to the ground)
s'évanouir (ne t'évanouis pas) to faint (don't faint)
tu me dois you owe me
sauver (vous nous avez sauvées) to save (you saved us)
tuer to kill
un entraînement a practice session
un coup de chance a stroke of luck
interpeller (il a interpellé) to shout at (he shouted)
par derrière from behind
assommer (il a assommé) to knock out (he knocked out)
d'un seul coup in one go
inquiéter (il inquiète) to worry (it worries)

89. LA MALLETTE

L'inspecteur Gentil passe les menottes à Pierre Lefèvre. Appelez la voiture de police avec le talkie-walkie et demandez-leur d'envoyer une ambulance. Puis, sous le regard attentif de Sophie, Alice et Thierry, elle ouvre la mallette qui est restée sur le sol. A l'intérieur, elle y trouve les dessins de Monet !

Sophie: Je n'arrive pas à croire qu'on les ait enfin récupérés.

Thierry: C'est beau ! C'est toi qui les as fait ?

Sophie: Non, non, non, ils ont été dessinés par Claude Monet, le plus grand artiste de l'histoire de l'art français.

Thierry: Monet ? Bien sûr, j'adore ses œuvres. J'emmène souvent mon fils au Louvre, où il y a plusieurs de ses tableaux. Qu'est-ce que tu vas faire de cette mallette maintenant ?

Alice: On va la rendre à son propriétaire, M. Pinguet.... Et je pense que vous devriez venir avec nous, puisque vous nous avez aidé à la récupérer.

Vocabulaire

passer les menottes to handcuff
une menotte a handcuff
envoyer to send

sous le regard attentif under the watchful eye
enfin finally

90. PIERRE LEFÈVRE
SE RÉVEILLE

A ce moment-là, Pierre Lefèvre se réveille. Il semble plutôt confus, au début, mais revient immédiatement à son état de colère lorsqu'il se rend compte qu'il est menotté. Il essaie de se lever, mais il n'y arrive pas.

Pierre Lefèvre: Qu'est-ce que c'est ? Enlevez-moi ces menottes. Je n'ai rien fait du tout.

Sophie: Oh, non ?

Pierre Lefèvre: Non, bien sûr que non.

Inspecteur Gentil: Eh bien, il me semble que vous allez rester menotté.

Pierre Lefèvre: Écoutez, inspecteur, comme je l'ai expliqué plus tôt à ces filles, j'ai obtenu ces dessins légalement. J'ai un magasin qui achète et échange des antiquités. Un client m'a apporté ces dessins et je lui ai donné quelque chose de très précieux en retour, c'est tout à fait légal !

Inspecteur Gentil: Ah oui ? Et mentir à la police c'est légal ? Tirer une arme et la pointer sur deux filles c'est complètement légal ? Si vous aviez dit la vérité dès le début, vous seriez libre, probablement avec une bonne récompense d'Alphonse Pinguet pour avoir rendu les œuvres. Maintenant monsieur, vous allez définitivement aller en prison !

Pierre Lefèvre: Bon sang !

Thierry: Quelqu'un a parlé de récompense ?

Vocabulaire

se réveiller (il se réveille) to wake up (he wakes up)
plutôt rather
un état a state
se rendre compte (il se rend compte) to realize (he realizes)
obtenir (j'ai obtenu) to obtain (I have obtained)
libre free
bon sang ! damn it!

91. LE DÉPART DE PIERRE LEFÈVRE

Un peu plus tard, deux voitures de police et une ambulance arrivent et emmènent Pierre Lefèvre menotté, pour qu'il ne tente pas de s'échapper.

Alice: Eh bien, il semble que nous n'aurons plus à entendre d'autres mensonges de Pierre Lefèvre...

Sophie: Enfin ! C'est vraiment épuisant.

Inspecteur Gentil: Vous avez vraiment fait du très bon travail. Sans vous, on ne l'aurait jamais attrapé.

Thierry: Ne m'oubliez pas, officier !

Inspecteur Gentil: Hahaha. Bien sûr, Thierry. Votre rôle a été bref mais fondamental dans la capture de Pierre Lefèvre.... Vous avez probablement sauvé la vie de ces filles !

Sophie: Votre fils sera fier de vous.

Thierry: Je ne pense pas qu'il me croira après ce qui s'est passé aujourd'hui.

Alice: Qu'est-ce qu'on fait maintenant ?

Inspecteur Gentil: Maintenant, il est temps d'aller chez Alphonse Pinguet. Nous devons rendre ces œuvres à leur domicile.

Vocabulaire

tenter de to attempt to
un mensonge a lie
bref short, brief
fier / fière proud

92. LE RETOUR DES ŒUVRES

Dans les voitures de police et dans le taxi de Thierry, tout le monde se rend au manoir de Alphonse Pinguet, qui est appelé sur la route. L'inspecteur Gentil porte la mallette avec les œuvres. Quand ils s'approchent, Alphonse les attend déjà à la porte de la maison, avec un énorme sourire.

Alphonse Pinguet: Sophie ! Alice ! Inspecteur, entrez, entrez !

Alice: M. Pinguet ! Nous les avons récupérés.

Alphonse Pinguet: Je sais ! C'est incroyable. Je suis vraiment reconnaissant.

Thierry: Salut, je suis Thierry. J'ai sauvé les filles à la dernière minute, quand cet horrible voleur allait les tuer.

Alphonse Pinguet: Vraiment ? Je n'arrive pas à le croire ! Entre Thierry, dis-moi tout. Je veux entendre chaque détail.

Inspecteur Gentil: Les filles et Thierry ont fait un excellent travail. Nous sommes très satisfaits de votre effort, car les œuvres peuvent enfin rentrer chez elles.

Alphonse Pinguet: Mais ce n'est pas chez elle !

Tous: Quoi ?!

Alphonse Pinguet: Non, ce n'est plus leur maison, j'ai décidé de faire don de toute ma collection au musée du Louvre !

Vocabulaire

énorme huge
un sourire a smile
reconnaissant / reconnaissante grateful
faire don de to donate

93. LA DONATION

Tout le monde regarde Alphonse Pinguet avec incrédulité. Ils entrent dans la pièce et, en saluant Mariana Pinguet, Andrea et le reste du personnel de la maison, demandent des explications.

Alice: Allez-vous faire don de toute votre collection ? Mais vous aimez votre collection plus que tout au monde !

Alphonse Pinguet: Exactement ! J'aime tellement cette collection que je pense qu'il vaut mieux qu'elle soit dans un endroit où elle reçoive la meilleure attention possible. Au Louvre, vous aurez non seulement les meilleurs soins, mais vous aurez aussi une meilleure sécurité. Évidemment, c'est quelque chose que je ne peux pas donner à mes œuvres d'art. En plus…. J'ai eu une discussion sérieuse avec Mariana.

Mariana Pinguet: C'est vrai, papa et moi avons discuté et décidé que nous passons trop de temps à penser à nos collections. On devrait passer plus de temps ensemble, alors on a décidé de les donner.

Sophie: Vas-tu aussi faire don de ta collection, Mariana ?

Mariana Pinguet: Oui, je garderai juste quelques bandes dessinées à lire de temps en temps, mais les plus anciennes, je les emmènerai au musée ABC, où ils ont une importante collection de bandes dessinées.

Inspecteur Gentil: Je pense que c'est très généreux de ta part de faire ça.

Alphonse Pinguet: Après tout ce qui s'est passé, nous pensons que ce sera le meilleur.

Vocabulaire

une incrédulité a disbelief
saluer (en saluant) to greet (greeting)
il vaut mieux que it's better
un endroit a place
un soin care
visiblement obviously
passer du temps to spend time
s'occuper de take care of
ensemble together
de temps en temps from time to time
de ta part from you

94. LA RÉCOMPENSE

Marie et Jérôme arrivent dans la chambre avec du café pour tous. Ensuite, Sophie et Alice racontent en détail à Alphonse Pinguet tout ce qui s'est passé depuis leur dernière visite à la maison. Thierry, fier, raconte son histoire à la fin. Alphonse Pinguet attend patiemment la fin de l'histoire pour faire une annonce.

Alphonse Pinguet: Maintenant, j'aimerais vous dire quelque chose. J'avais annoncé une récompense de mille euros à tous ceux qui m'ont aidé à récupérer les œuvres, mais je trouve que c'est trop peu…. Pour la valeur des œuvres et pour tout ce que vous avez fait, je pense qu'une récompense de cinq mille euros chacun serait mieux ! Y compris pour Thierry, le héros de dernière minute.

Alice: On ne peut pas accepter ça !

Sophie: Nous ne voulons pas de récompense, M. Pinguet.

Thierry: Moi je l'accepte volontiers ! Je pourrai enfin acheter un nouveau vélo à mon fils et peut-être qu'un jour je pourrai acheter mon propre taxi.

Alice: Vous pouvez donner notre part à Thierry, M. Pinguet. Il nous a sauvé la vie ! Et son petit garçon vous remerciera.

Alphonse Pinguet: Eh bien, ça me va. Mais laissez-moi au moins vous donner autre chose.

Sophie: Ce n'est pas de l'argent ?

Alphonse Pinguet: Non, ce n'est pas de l'argent... c'est une surprise. Je vous la donnerai dans une semaine, au musée du Louvre.

Vocabulaire

une annonce an announcement
mille thousand
volontiers gladly
une part a share
remercier (il remerciera) to thank (he will thank)
ça me va That's fine with me

95. L'INAUGURATION

Une semaine plus tard, Alice et Sophie assistent à l'inauguration officielle de la nouvelle salle Pinguet du musée du Louvre. C'est dans ce nouveau lieu que la collection Alphonse Pinguet sera exposée au public. Les filles, qui ont passé une semaine de repos à l'hôtel, sont vêtues d'une robe de fête très formelle et longue. Dans la salle il y a des serveurs qui offrent des verres de vin et de champagne. Les œuvres de la collection Alphonse Pinguet sont disposées dans toute la salle. Sur le mur le plus important, bien illuminée, se trouvent les dessins de Monet.

Sophie: Thierry ! Vous êtes venu.

Thierry: Oui ! Bien sûr. Je ne manquerais ça pour rien au monde. Voici Ali, mon fils.

Alice: Bonjour, Ali ! Ton père t'a dit comment il nous a sauvé la vie ?

Ali: C'était vrai !?? Je pensais qu'il avait inventé une histoire.

Sophie: Bien sûr que non. Ton père est un héros !

Inspecteur Gentil: Les filles ! Vous êtes là !

Alice: Inspecteur Gentil ! Je n'aurais pas pu vous reconnaître dans cette robe.

Inspecteur Gentil: Hahaha, aujourd'hui j'ai un jour de congé, et vous pouvez m'appeler Claire.

une salle a room
un lieu a place
exposer (elle sera exposée) to exhibit (it will be exhibited)
un repos a rest
vêtir (elles sont vêtues) to dress (they are dressed)
un serveur / une serveuse a waiter / a waitress
disposer (elles sont disposées) to display (they are displayed)
un mur a wall
illuminer (illuminée) to light (lit)
un jour de congé a day off

96. L'OFFRE

Alphonse Pinguet arrive dans la chambre, accompagné d'une femme. Il se dirige droit vers eux.

Alphonse Pinguet: Bonjour tout le monde ! Inspecteur Gentil, comment ça va ? Thierry, tu as déjà acheté la nouvelle voiture ? Très rapide, n'est-ce pas ? Les filles !

Alice: Bonjour, Alphonse ! Vous avez l'air heureux.

Alphonse Pinguet: Bien sûr, regardez mes œuvres ! Elles n'avaient jamais été entourées d'autant de gens, avec autant de vie autour. Bref.... J'ai quelqu'un à vous présenter. Voici Amelia, la directrice du musée.

Amelia: Bonjour tout le monde !

Alphonse Pinguet: Amelia, j'ai quelqu'un de très spécial à vous présenter. Voici Sophie, la fille dont je t'ai parlé.

Sophie: Bonjour, Amelia. C'est un honneur de vous rencontrer. Je sais bien sûr qui vous êtes, j'ai lu tous vos articles sur la muséologie.

Amelia: Ça ne me surprend pas car Alphonse m'a dit que tu es très studieuse et très professionnelle.

Sophie: Eh bien, je ne sais pas, vraiment.

Amelia: Je suis sûre que tu l'es, puisque j'ai aussi appelé ton université et on m'a dit que tu as obtenu ton diplôme avec mention, la meilleure de la classe !

Sophie: Vous avez appelé mon université ?

Amelia: Bien sûr ! Je n'engagerais pas une nouvelle conservatrice pour le musée sans d'abord vérifier sa carrière académique, et je dois dire qu'elle est impeccable !

Sophie: Moi, votre nouvelle conservatrice ?! Ici, au Louvre ?!

Amelia: Bien sûr, qui de mieux pour s'occuper de cette nouvelle salle ?

Vocabulaire

se diriger (il se dirige) to head (he is heading)
droit straight
n'est-ce pas ? don't you think so?
heureux happy
entourer (elles avaient été entourées) to surround (they had been surrounded)
autour around
présenter to introduce
surprendre to surprise
engager to hire
un conservateur / une conservatrice a curator

97. LA DEUXIÈME OFFRE

Sophie pleure d'émotion, c'est le rêve de sa vie ! Alice l'embrasse, heureuse.

Alice: Sophie, je suis si heureuse pour toi. Ça veut dire qu'on va vivre à Paris ! On peut chercher un appartement dans le quartier du Marais, maintenant qu'on le connaît si bien.

Alphonse Pinguet: Et tu sais ce que tu veux faire ici, Alice ?

Alice: Bien sûr, la même chose que d'habitude : écrire ! Je veux écrire l'histoire du vol, je pense que ce sera un excellent roman policier.

Alphonse Pinguet: Je suis très heureux que tu aies dit cela, parce que c'est exactement ce que j'avais en tête.

Alice: Qu'est-ce que vous voulez dire ?

Alphonse Pinguet: Il y a quelques jours, j'ai appelé mon bon ami Thomas Rousseau, de la maison d'édition Raymond.

Alice: Thomas Rousseau, le rédacteur en chef ?! C'est mon éditeur de roman policier préféré.

Alphonse Pinguet: Bien sûr, ce sont les meilleurs. Thomas est un bon ami à moi. Bref, je lui ai parlé du cambriolage et il pense aussi que c'est un thème parfait pour un roman.

Mais on est un peu inquiets....

Alice: Pourquoi ?

Alphonse Pinguet: Eh bien, parce qu'on ne sait pas qui pourrait l'écrire... Si seulement il y avait un écrivain spécialisé dans les romans policiers qui connaissait tous les détails des faits.... Attends une minute ! Pourquoi pas toi ?

Alice: Vous êtes sérieux ? Écrire un roman pour la maison d'édition Raymond ? C'est mon rêve !

Alphonse Pinguet: C'est parfait, parce qu'ils veulent signer un contrat. Thomas t'attend demain à 10 heures dans son bureau.

Sophie: ALICE, ALICE ! Ça va ? Elle s'est évanouie !

Vocabulaire

embrasser to hug
une maison d'édition a publishing house
un rédacteur en chef / une rédatrice en chef an editor-in-chief
un éditeur a publisher
un fait a fact
un bureau an office

98. LE DISCOURS D'ALPHONSE PINGUET

Alice se remet rapidement, elle n'arrive pas à croire ce qu'Alphonse a accompli pour elle. Alice et Sophie sont toutes les deux comme dans un rêve. A ce moment, Alphonse Pinguet frappe son verre pour attirer l'attention de tous.

Alphonse Pinguet: Chers amis, chers collègues. Je veux porter un toast. J'aimerais porter un toast, tout d'abord, à l'art. Ces œuvres que vous voyez autour de vous m'ont donné beaucoup de bonheur pendant de nombreuses années. Maintenant, c'est mon souhait le plus profond qu'ils donnent du bonheur à tous ceux qui souhaitent les voir au Musée du Louvre. Je tiens à remercier Amelia d'avoir ouvert les portes du musée à ma donation et de lui avoir donné un espace aussi chaleureux. Mais, surtout, je tiens à remercier quatre personnes sans qui ces trois dessins de Monet ne seraient pas là. L'inspecteur Gentil, Thierry, Alice et Sophie. Un toast à tous ! Santé !

Vocabulaire

se remettre (elle se remet) to recover (she recovers)
porter un toast to toast
tout d'abord first of all
un souhait a wish
profond deep
souhaiter to wish
chaleureux warm
je tiens à I would like to

99. LA CARTE

Tout le monde trinque et applaudit. Les filles se regardent dans les yeux et trinquent leurs verres pour célébrer leur nouvelle vie à Paris. Elles sont vraiment impatientes de réaliser de tout ce qui se trouve devant elles. Puis un serveur vient avec un bout de papier.

Garçon: Vous êtes Alice et Sophie ? J'ai un message pour vous.

Sophie: Qu'est-ce que c'est ? Qu'est-ce que ça dit ?

Alice: Ça dit : « Suivez la carte jusqu'au X. » C'est une carte du musée avec un chemin indiquant comment arriver à une petite salle marquée d'un X.

Sophie: Qu'est-ce que tu en penses ? Tu es prête à suivre des indices à nouveau ? À résoudre un nouveau mystère ?

Alice: Je ne pense pas que ce soit un mystère, je pense savoir exactement qui c'est...

Sophie: Viens, alors.

Thierry: Hey ! Où est-ce que vous allez ?

Alice: On revient tout de suite.

Thierry: Ne vous attirez pas d'ennuis, je ne serai pas là pour vous sauver.

Alice: Compris !

trinquer (il trinque) to toast (he toasts)
être impatient de (elles sont impatientes de) to be eager to (they are eager to)
un bout de papier a piece of paper
un chemin a path
ne vous attirez pas d'ennuis don't get yourself into trouble

100. UN INVITÉ SPÉCIAL

Les filles suivent le plan du musée comme indiqué par la note : elles montent le premier escalier, tournent à droite, entrent par la première porte à gauche, montent un escalier et arrivent dans une petite pièce.

Sophie: C'est l'homme au chapeau !

Adam: Vous pouvez m'appeler Adam, c'est mon nom !

Alice: Bonjour, Adam. Je me demandais quand on vous reverrait.

Adam: Je ne voulais pas interrompre la fête, mais je voulais vous féliciter pour avoir résolu le mystère, et pour votre nouveau travail !

Sophie: Comment est-ce que vous le savez ?

Adam: Au Club des Historiens, on sait beaucoup de choses... En passant, j'ai l'honneur de vous remettre ceci.

Alice: Qu'est-ce que c'est?

Adam: Ouvrez les enveloppes. Vous trouverez à l'intérieur deux invitations pour être membre du Club des Historiens.

Sophie: Adam, ce serait un véritable honneur....

Alice: Ça veut dire qu'on pourra vous aider à résoudre des mystères ?

Adam: Exactement ! Nous vous contacterons quand nous aurons besoin de votre aide. Ça vous intéresse ?

Alice et Sophie: Bien sûr !

Adam: J'en suis vraiment ravi. Maintenant retournez à la fête ! Vos amis vous attendent. Et n'en parlez à personne ! C'est un secret.

Vocabulaire

revoir (on reverrait) to see again (we would see again)
une fête a party
féliciter to congratulate
en passant by the way
remettre to hand
véritable real
être ravi de (j'en suis ravi) to be delighted with (I am delighted about it)

101. LE PRÉSIDENT

Quand ils retournent à la fête d'inauguration, l'inspecteur Gentil court vers elles.

Inspecteur Gentil: Les filles, où est-ce que vous étiez ? On a reçu un appel il y a quelques minutes !

Alice: Qu'est-ce qu'il s'est passé ? Tout va bien ?

Inspecteur Gentil: Oui, c'est juste que… le président veut vous remercier personnellement d'avoir récupéré les œuvres de Monet.

Sophie: Mais… même si tout le monde nous ont déjà remerciés en personne des milliers de fois ?

Inspecteur Gentil: Oui mais c'est le Président ! Le Président de la République. Il vous attend au palais de l'Élysée….

Vocabulaire

même si even if
le palais de l'Élysée official residence of the French president

FIN

THANKS FOR READING!

I hope you have enjoyed this book and that your language skills have improved as a result!

A lot of hard work went into creating this book, and if you would like to support me, the best way to do so would be to leave an honest review of the book on the store where you made your purchase.

Want to get in touch? I love hearing from readers. Reach out to me any time at *olly@storylearning.com*

To your success,

Olly Richards

MORE FROM OLLY

If you have enjoyed this book, you will love all the other free language learning content I publish each week on my blog and podcast: *StoryLearning*.

Blog: Study hacks and mind tools for independent language learners.

www.storylearning.com

Podcast: I answer your language learning questions twice a week on the podcast.

www.storylearning.com/itunes

YouTube: Videos, case studies, and language learning experiments.

https://www.youtube.com/ollyrichards

COURSES FROM OLLY RICHARDS

If you've enjoyed this book, you may be interested in Olly Richards' complete range of language courses, which employ his StoryLearning® method to help you reach fluency in your target language.

Critically acclaimed and popular among students, Olly's courses are available in multiple languages and for learners at different levels, from complete beginner to intermediate and advanced.

To find out more about these courses, follow the link below and select "Courses" from the menu bar:

https://storylearning.com/courses

"Olly's language-learning insights are right in line with the best of what we know from neuroscience and cognitive psychology about how to learn effectively. I love his work!"

Dr. Barbara Oakley,
Bestselling Author of "A Mind for Numbers"